Turgenev, Ivan Ser

Erzaehlungen

2. Band

Turgenev, Ivan Sergeevich

Erzaehlungen

2. Band

Inktank publishing, 2018

www.inktank-publishing.com

ISBN/EAN: 9783750102408

Erzählungen

von

Iwan Turgénjew.

Deutsch

von

Friedrich Bodenstedt.

Zweiter Band.

Autorisirte Ausgabe.

München.
Math. Rieger'sche Universitäts-Buchhandlung.
1865.

Inhalt.

Seite

Erscheinungen.

Statt des Vorwortes.

Jedes wirkliche Kunsterzeugniß soll für sich selbst reden, auf eigenen Füßen stehen — und bedarf daher keiner vorläufigen Erklärungen und Erörterungen. Da mir indeß die Ueberzeugung fehlt, daß meine „Erscheinungen"! auf den Rang einer wirklichen Kunstschöpfung Anspruch machen können, so entschließ' ich mich zu der Bitte an den Leser, der vielleicht ein Recht hat von mir etwas Ernsteres zu erwarten, in den folgenden Blättern keinerlei Allegorie oder versteckte Anspielungen zu suchen, sondern einfach darin eine Reihe von Bildern zu sehen, welche oberflächlich genug mit einander in Zusammenhang gebracht sind.

J. T.

1*

4

Erscheinungen.

(Eine Phantasie.)

I.

Ich konnte lange nicht einschlafen und wälzte mich unaufhörlich von einer Seite auf die andere. „Der Teufel hole diese Dummheit mit den drehenden Tischen!“ dachte ich — „sie greifen nur die Nerven an ....“ Endlich überwältigte mich doch die Müdigkeit. Plötzlich kam es mir vor als erklänge im Zimmer eine Saite leise und klagend.

Ich erhob den Kopf. Der Mond stand niedrig am Himmel und schaute mir gerade in die Augen. Wie ein kreideweißer Streifen lag sein Licht auf den Dielen.. Deutlich wiederholte sich der seltsame Klang.

Ich lehnte mich auf die Ellenbogen. Ein leiser Schauder schnürte mir das Herz zusammen. — Eine Minute verging; noch eine ... irgendwo in der Ferne krähete ein Hahn; in noch weiterer Ferne antwortete ein anderer. Ich ließ den Kopf auf das Kissen zurücksinken. „Wohin es doch mit Einem kommen kann“ — dacht' ich wieder; — „in den Ohren fängt's mir an zu klingen.“

Nach einiger Zeit überwältigte mich der Schlaf

wieder, oder es war mir so als ob ich einschliefe. Ein ungewöhnliches Traumgesicht stieg vor mir auf. Mir schien, ich läge in meinem Schlafzimmer, in meinem Bette — und könnte nicht schlafen, nicht einmal die Augen schließen. Da ertönt wieder der Klang . . . Ich wende mich um . . . Die Spur des Mondes auf den Dielen beginnt sich leise zu erheben, aufrechtzustehen und sich oben leicht abzurunden. — Vor mir, wie ein Nebelgebild, steht unbeweglich eine bleiche Frau.

— Wer bist Du? frage ich mit Anstrengung.

Eine Stimme antwortet, ähnlich wie Blättergesäusel:

— Ich bin es . . . ich . . . ich . . . Ich bin Deinetwegen gekommen.

— Meinetwegen? Aber wer bist Du?

— Komm zur Nacht an die Ecke des Waldes, wo die alte Eiche steht. Dort wirst Du mich finden.

Ich will in die Züge der geheimnißvollen Frau blicken — und plötzlich fang' ich unwillkürlich an zu beben: es überrieselt mich kalt. Und ich liege nicht mehr, ich sitze auf meinem Bette — und da, wo die bleiche Frau zu stehen schien, glänzt der Mond in langen, weißen Streifen über den Fußboden hin.

II.

Der folgende Tag verging, ich weiß nicht mehr wie. Ich erinnere mich, daß ich versuchte zu lesen, zu arbeiten . . . allein nichts wollte recht von statten gehen. Und wieder brach die Nacht an. Das Herz schlug in mir, als ob es etwas erwartete. Ich legte mich nieder, das Gesicht gegen die Wand gekehrt.

— Warum bist Du nicht gekommen? ließ sich im Zimmer ein deutliches Flüstern vernehmen.

Jählings blickt' ich auf.

Da stand sie wieder, die geheimnißvolle Erscheinung — mit den unbeweglichen Augen in dem unbeweglichen Antlitz und dem flehenden Blicke.

— Komm! ließ das Geflüster sich auf's Neue vernehmen.

— Ich werde kommen, erwiderte ich mit unwillkürlichem Schauder.

Die Erscheinung schwebte leise vorwärts und verschwamm dann ganz vor meinen Blicken, leicht wie feiner Rauch entwallend. Und wiederum goß der Mond friedlich sein bleiches Licht über die blanken Dielen.

III.

Ich verbrachte den Tag in Aufregung. Nach dem Abendessen trank ich fast eine ganze Flasche Wein, ging auf die Freitreppe hinaus, kehrte aber zurück und warf mich auf's Bett. Das Blut rollte schwer in mir

Wiederum ließ der Klang sich vernehmen ... Ich erzitterte, blickte aber nicht auf. Plötzlich fühlte ich, daß Jemand dicht hinter mir mich umfaßte und mir in's Ohr raunte: „Komm, komm, komm!" ... Vor Schrecken bebend stöhnte ich:

— Ich werde kommen! — und richtete mich auf.

Die Frau stand, sich über mich neigend, dicht neben meinem Kopfkissen. Sie lächelte leise und verschwand. Dennoch gelang es mir, ihr Gesicht in's Auge zu fassen. Mir schien, als hätt' ich es schon früher gesehen; — aber wo, wann? Ich stand spät auf und schweifte den ganzen Tag im Freien umher, ging zu der alten Eiche am Saume des Waldes und spähete aufmerksam in die Runde.

Gegen Abend saß ich am offenen Fenster in meinem Kabinette. Meine alte Haushälterin stellte eine Tasse Thee vor mich hin — aber ich rührte sie nicht an ... Ich wurde völlig an mir selbst irre und fragte mich, ob ich nicht auf dem besten Wege sei, den Verstand zu verlieren. Die Sonne war eben untergegangen — und nicht blos der Himmel stand in Glut — die ganze Luft erglühte plötzlich von einer fast unnatürlichen Röthe: die Blätter und Kräuter schimmerten wie von frischem Firniß überzogen, ohne sich zu regen. In ihrer gleichsam steinernen Unbeweglichkeit, in der scharfen Deutlichkeit ihrer Umrisse, in dieser Vereinigung kräftigen Glanzes mit Todesstille lag etwas Seltsames, Räthselhaftes. Plötzlich kam ein ziemlich großer, grauer Vogel geräuschlos herbeigeflogen und setzte sich auf den äußersten Rand des offenstehenden Fensters. Ich sah ihn an und er richtete sein rundes, dunkles Auge seitwärts auf mich. „Ist er nicht zu Dir gesandt, Dich zu erinnern?“ dachte ich.

Sofort erhob der Vogel seine weichen Flügel und flog so geräuschlos davon wie er gekommen war. Ich saß noch lange am Fenster — aber ich gab mich nicht länger dem Zweifel hin: ich war wie in einen Zauberkreis gefallen — und eine unüberwindliche, wenn auch stille Kraft, riß mich fort, ähnlich der Strömung des Gießbachs, die noch weit vom Wasserfalle den Kahn fortreißt.

Endlich rafft' ich mich auf. Die purpurne Röthe der Luft war längst verschwunden; die Farben dunkelten und die zauberhafte Ruhe war zu Ende. Ein Luftzug erhob sich, der Mond stieg immer heller aus dem tiefblauen Himmel hervor — und bald spielten die Blätter der Bäume silbern und schwarz in seinem kalten Glanze. Meine alte Haushälterin trat in's Kabinet mit angezündetem Lichte, aber der Luftzug vom offenen Fenster her blies die Flamme aus. Länger konnt' ich's nicht aushalten; ich sprang auf, griff nach meiner Mütze und machte mich auf den Weg nach dem Saume des Waldes zu der alten Eiche.

IV.

In diese Eiche hatte vor vielen Jahren der Blitz eingeschlagen. Der Wipfel war zerschmettert und verdorrt, aber im Stamme war noch Leben auf Jahrhunderte geblieben. Als ich mich ihr näherte, flog ein Wölkchen über den Mond; unter den weitausgestreckten Zweigen lag tiefes Dunkel. Anfangs fiel mir nichts Besonderes auf; aber ich blickte zur Seite — und das Herz sank mir in der Brust: die weiße Gestalt stand unbeweglich neben einem hohen Strauche, zwischen der Eiche und dem Walde. Die Haare sträubten sich mir leicht auf dem Kopfe; doch ich faßte mir ein Herz und ging auf den Wald zu.

Ja, sie war es, meine nächtliche Erscheinung. [Als ich näher an sie herantrat, erglänzte der Mond wieder. Sie sah aus wie aus halbdurchsichtigem, milchweißen Nebel gebildet; durch ihr Gesicht hindurch konnte ich einen leise vom Winde bewegten Zweig sehen — nur die Haare und Augen dunkelten ein wenig und an einem Finger ihrer zusammengelegten Hände glänzte ein schmaler Ring von mattem Golde. Ich blieb vor ihr stehen und wollte sie anreden; allein die Stimme erstarb mir in der Brust, obwohl ich durchaus keine besondere Furcht mehr fühlte. Ihre Augen hefteten sich auf mich: in dem Blicke lag weder Gram noch Freude, aber eine gewisse leblose Aufmerksamkeit. Ich wartete, ob sie nicht reden werde, aber sie stand unbeweglich und stumm, mich unausgesetzt mit ihrem starren Blicke ansehend. Mir wurde wieder unheimlich zu Muthe.

— Ich bin gekommen! rief ich endlich mit Anstrengung. Meine Stimme ertönte dumpf und seltsam.

— Ich liebe Dich — ließ sich ein Geflüster vernehmen.

— Du liebst mich? wiederholte ich verwundert.

— Gehöre mir an! gab das Geflüster zur Antwort.

— Ich Dir angehören? Aber Du bist ein Gespenst — ohne Körper. — Ich fühlte mich seltsam bewegt und belebt. — Was bist Du, Rauch, Luft, Dampf? Ich dir angehören? Zuvor sag mir, wer Du bist. Hast Du auf Erden gelebt? Woher bist Du gekommen?

— Gehöre mir an. Ich werde Dir kein Leides zufügen. Sag nur diese drei Worte: nimm mich hin!

Ich sah sie an. „Was redet sie da?“ dachte ich. „Was bedeutet dies Alles? Und wie will sie mich nehmen? Oder gilt's einen Versuch?“

— Nun wohlan, sprach ich deutlich, ja unerwartet laut, als ob Jemand von hinten mich stieße: Nimm mich hin!

Kaum hatt' ich diese Worte ausgesprochen, als die geheimnißvolle Gestalt, mit einem innern Lachen, von welchem auf einen Augenblick ihr Gesicht erbebte, vorwärts schwebte, ihre Hände löste und nach mir ausstreckte . . . Ich wollte entfliehen, allein ich war schon in ihrer Gewalt. Sie umschlang mich, mein Körper erhob sich eine halbe Elle über die Erde — und wir wurden beide leicht und nicht allzurasch über den unbeweglichen feuchten Rasen hinweggetragen.

V.

Anfangs wirbelte mir der Kopf — und unfreiwillig schloß ich die Augen; nach etwa einer Minute schlug ich sie wieder auf. Wir schwebten wie früher dahin. Aber der Wald war schon nicht mehr zu sehen: unter uns dehnte sich eine Ebene aus, mit schwarzen Punkten besprengt. Mit Schrecken nahm ich wahr, daß wir uns zu einer schauerlichen Höhe erhoben hatten.

„Ich bin verloren, ich bin in der Gewalt des Bösen,“ durchzuckt' es mich wie ein Blitz. Bis zu diesem Augenblicke war mir der Gedanke von der Obmacht dämonischer Kräfte, von der Möglichkeit des Verderbens nicht in den Kopf gekommen. Wir schwebten unaufhaltsam weiter und schienen uns immer mehr zu erheben.

— Wohin trägst Du mich? stöhnte ich endlich.

— Wohin Du willst, erwiderte meine Gefährtin. Sie preßte sich fest an mich; ihr Antlitz berührte fast das meinige. Uebrigens fühlte ich ihre Berührung kaum.

— Laß mich nieder zur Erde; mir schwindelt in dieser Höhe.

— Gut; schließ nur die Augen und athme nicht.

Ich gehorchte — und fühlte mich sofort niederfallen wie einen geschleuderten Stein ... die Luft pfiff nur so durch meine Haare. Als ich zur Besinnung kam, schwebten wir wieder über dem Erdboden, so daß wir die Spitzen der Kräuter des hohen Rasens berührten.

— Stell mich auf die Füße, hub ich an. — Was ist das für ein Vergnügen zu fliegen? Ich bin kein Vogel.

— Ich dachte, daß es Dir angenehm sein würde; wir haben keinen anderen Zeitvertreib.

— Ihr? Aber wer seid Ihr denn eigentlich?

Es erfolgte keine Antwort.

— Du wagst es mir nicht zu gestehen?

Ein klagender Ton, dem ähnlich, der mich in der ersten Nacht weckte, dröhnte mir durch die Ohren. Inzwischen schwebten wir unmerklich weiter durch die feuchte Nachtluft.

— Laß mich! rief ich. Meine Gefährtin bog sich etwas zurück — und ich stand wieder auf den Beinen.

Sie stellte sich vor mich hin und legte auf's Neue die Hände zusammen. Ich beruhigte mich und faßte sie in's Auge: ihr Antlitz zeigte wie früher den Ausdruck stummer Unterwürfigkeit.'

— Wo sind wir? fragte ich. Ich erkannte die umliegenden Orte nicht.

— Fern von Deinem Hause, aber Du kannst im Augenblick da sein.

— Auf dieselbe Art, wie ich hergekommen? Muß ich mich Dir wieder anvertrauen?

— Ich habe Dir kein Leides zugefügt und werd' es nicht thun! Ich fliege mit Dir umher bis zur Morgenröthe; das ist Alles. Ich kann Dich tragen wohin Dein Gedanke nur strebt — in alle Länder der Erde. Gehöre mir an! Sag wieder: nimm mich hin!

— Wohlan . . . nimm mich hin!

Wieder umschlang sie mich, wieder enthoben sich meine Füße der Erde — und wir flogen.

VI.

— Wohin? fragte sie mich.

— Gerade aus, immer gerade aus.

— Aber dort ist ein Wald.

— Erheben wir uns über den Wald hin — aber sanft.

Wir schwebten zur Höhe wie Waldschnepfen, die auf eine Birke fliegen — und wurden weiter getragen in gerader Richtung. Statt der Kräuter zitterten jetzt die Wipfel der Bäume unter unsern Füßen. Der Wald war wundersam aus der Höhe herab anzuschauen mit seinem stachlichten Rücken, vom Monde beleuchtet. Er sah aus wie ein vorsündflutliches, schlummerndes Ungeheuer und wir vernahmen sein weitgedehntes, unaufhörliches Rauschen, das wie undeutliches Brummen erscholl.

Hin und wieder öffnete sich eine kleine Lichtung und der gezackte Streifen des Schattens lag schwarz auf der einen Seite... Tief unten ließ sich zuweilen der klagende Schrei eines Hasen vernehmen; oben ertönte der ebenfalls klagende Schrei einer Eule. Die Luft roch nach Schwämmen, Knospen und Kräutern. Das Mondlicht ergoß sich nach allen Seiten hin, kalt und streng. Der große Bär erglänzte uns oben zu Häupten. Plötzlich verschwand der Wald hinter uns; über das Feld spannen sich Nebelstreifen hin; da zog ein Fluß.

Wir schwebten, eines seiner Ufer entlang, über Sträucher hin, welche vor Feuchtigkeit schwer unbeweglich dastanden. Die Wellen des Flusses erschimmerten bald in blauem Glanze, bald wälzten sie sich finster und wie heimtückisch dahin. Hier und dort bewegte sich seltsam ein feiner Dampf über ihnen — und die Kelche der Wasserlilien erglänzten jungfräulich und üppig in voller Entfaltung ihrer Blumenblätter, gleich als ob sie wüßten, daß es unmöglich sei, sie zu erreichen. Es wandelte mich die Lust an eine zu pflücken — und schon berührte ich die Wasserfläche... eine böse Feuchtigkeit schlug mir in's Gesicht, als ich den zähen Stengel der großen Blume brach. Wir flogen dann von einem Ufer zum andern hinüber wie Wasserschnepfen, welche wir hin und wieder in der That aufscheuchten und verfolgten. Mehr als einmal geschah es, daß wir auf eine Kette wilder Enten stießen, welche sich im Kreise an einem freien Plätzchen zwischen Binsen niedergelassen hatten. Sie blieben unbeweglich sitzen; nur eine streckte hastig den Hals unter dem Flügel hervor, blickte spähend aus und barg dann geschäftig wieder den Schnabel im flaumigen Gefieder; während eine andere ein kurzes leises Schnattern ausstieß, wobei ihr ganzer Körper ein wenig erzitterte. Wir scheuchten auch einen Reiher auf, der sich mit schwerfälliger Beinbewegung und unbeholfenem Flügelschlagen mühsam aus dem Gebüsch erhob. Fische schnalzten nirgends im Wasser auf — sie schliefen alle. Ich fing an, mich an die Empfindung des Fliegens zu gewöhnen und dieses sogar angenehm zu finden. Jeder, wer jemals im Traume geflogen, wird mich verstehen. Mit absonderlicher Aufmerksamkeit faßt' ich das seltsame Wesen in's Auge, welches solche Wunder an mir wirkte.

VII.

Es war eine Frau mit einem kleinen, nicht russischem Gesichte. Dieses erinnerte in seinem feinen Gemisch von Hellgrau und Weiß mit weichen Schatten an alabasterne, inwendig beleuchtete Vasen. Und wiederum kam es mir bekannt vor.

— Kann man reden mit Dir? fragte ich.

— Rede nur.

— Ich gewahr' einen Ring an Deinem Finger; Du scheinst auf Erden gelebt zu haben — warst Du verheirathet?

Ich hielt inne . . . es erfolgte keine Antwort.

— Wie heißest Du — oder vielmehr wie war Dein Name?

— Nenne mich Ellis.

— Alice! Das ist ein englischer Name! Bist Du eine Engländerin? Kanntest Du mich früher schon?

— Nein.

— Warum bist Du denn gerade mir erschienen?

— Ich liebe Dich.

— Und Du bist zufrieden?

— Ja; ich schwebe, ich kreise mit Dir in der reinen Luft umher!

— Ellis! sagte ich plötzlich — Du bist vielleicht eine Verbrecherin, eine gerichtete Seele?

Meine Gefährtin senkte ihr Haupt. — Ich verstehe Dich nicht, flüsterte sie.

— Ich beschwöre Dich im Namen Gottes, hub ich wieder an . . .

— Was sagst Du? murmelte sie verwundert. Ich verstehe Dich nicht.

Mir schien, als ob ihr Arm, der mich wie ein kalter Gürtel umschlang, sich leise bewegte.

— Fürchte Dich nicht, sagte Ellis, fürchte

Dich nicht, mein Lieber! — Ihr Gesicht wandte sich und legte sich an das meine . . . Ihre Berührung erzeugte auf meinen Lippen eine seltsame Empfindung, wie von einem feinen, weichen Stachel.

VIII.

Ich blickte unter mich und gewahrte, daß wir uns schon wieder zu einer beträchtlichen Höhe erhoben hatten. Wir flogen über eine unbekannte Stadt hin, welche sich auf dem Abhange eines breiten Hügels ausdehnte. Kirchen erhoben sich aus dunklen Massen von Holzdächern und Fruchtgärten; eine lange Brücke spannte sich finster über die Krümmung eines Flusses. Alles schwieg, wie im Banne des Schlafes. Selbst die Kuppeln und Kreuze glänzten in mattem, schläfrigen Glanze. Die weißliche Heerstraße schoß lautlos wie ein Pfeil in ein Ende der Stadt hinein und kam lautlos am entgegengesetzten Ende wieder zum Vorscheine in der dunklen Weite der einförmigen Felder.

— Was ist das für eine Stadt? fragte ich.

Meine Gefährtin nannte mir einen bekannten vaterländischen Namen.

2*

— Da sind wir weit von Haus!

— Für uns gibt es keine Entfernung.

— Wirklich nicht? So trage mich nach dem südlichen Amerika! rief ich mit plötzlichem kühnen Entschluß.

— Nach Amerika kann ich Dich nicht tragen. Dort ist es jetzt Tag.

— Ich begreife — wir sind blos Nachtvögel. Nun, so trag mich wohin Du kannst, nur etwas weiter.

— Schließ die Augen und athme nicht, antwortete Ellis — und wir flogen davon schnell wie die Windsbraut.

Mit erschütterndem Geräusch drang die Luft mir in die Ohren.

Wir hielten an, allein das Geräusch ließ nicht nach. Im Gegentheil: es verwandelte sich in ein entsetzliches Brüllen, in ein donnergleiches Heulen . . . .

— Jetzt kannst Du die Augen öffnen, sagte Ellis . . .

IX.

Ich that nach ihren Worten . . . Himmel, wo war ich?

Mir zu Häupten wogten schwere, rauchige Wolken;

sie drängten sich zusammen wie ein Heerde tückischer Ungeheuer . . . und unter mir, tief unten dort drohte ein anderes Ungeheuer: das grimmige, wirklich grimmige Meer . . . Der weiße Schaum blitzt und zischt krampfhaft auf seinen Wasserhügeln und ihre zottigen Wogen hocherhebend, schlägt die Flut mit lautschallendem Getöse gegen mächtige, pechschwarze Felsen. Das Sturmgeheul, der eisige Hauch des schwankenden Abgrundes, der schwerfällige Reigen der Brandung, aus welcher es bald herschallt wie wimmerndes Wehklagen, bald wie ferner Kanonendonner, bald wie Glockenklang — das Knirschen und Knarren der vom Sturm und Wellenschlag gepeitschten Kiesel am Strande, das plötzliche Schreien einer unsichtbaren Möve, am finstern Horizont das schwankende Skelett oder Wrack eines Schiffes — Alles dringt wirr auf mich ein . . . der Kopf beginnt mir zu schwindeln und auf's Neue schließ' ich die Augen.

— Was ist das? Wo sind wir?

— Am südlichen Ufer der Insel Wight, vor dem Felsen Blackgany, wo so oft die Schiffe zerschellen — erwiderte Ellis diesmal mit voller Deutlichkeit und, wie mir schien, nicht ohne Schadenfreude.

— Trag mich fort, fort von hier . . . nach Hause! nach Hause!

Ich zog mich ganz zusammen, preßte mein Gesicht in die Hände . . . Ich fühlte, daß wir noch schneller als vorher flogen; der Wind wimmerte und pfiff nicht blos mehr — er fuhr mir nur so heulend durch Haare und Kleider . . . mir war, als ob die Kehle sich mir zuschnürte . . .

— Stell Dich auf die Füße, ertönte Ellis' Stimme.

Ich strengte mich an, mich zu beherrschen, das Bewußtsein wieder zu gewinnen . . . Ich fühlte festen Boden unter mir, aber hörte nichts . . . Alles schien ringsum wie ausgestorben . . . Das Blut stieg mir zu Kopfe, es sauste mir in den Ohren vor innerer Aufregung, ich war immer noch nicht schwindelfrei.

Ich richtete mich empor und öffnete die Augen.

X.

Wir befanden uns auf dem Damme meines Teiches. Gerade vor mir, durch die spitzigen Blätter der Weiden erglänzte seine weite Fläche, theilweise übersponnen von flaumigem Nebel. Zur Rechten erschimmerte matt ein Roggenfeld; zur Linken erhoben sich die Bäume des Gartens, in langen Reihen, unbeweglich und feuchtglänzend . . . Der Hauch des Morgens berührte sie schon. Am reinen, grauen Himmel zogen sich, wie Streifen Rauchs, zwei- oder drei wunderlich geformte Wolken hin; der erste schwache Glanz der Morgenröthe fiel auf sie und gab ihnen einen gelblichen Anflug. Die Morgenröthe selbst war noch unsichtbar; mein Auge konnte am bleichen Horizonte den Ort entdecken, wo sie erscheinen sollte. Die Sterne verschwanden; Nichts regte sich noch, obgleich Alles schon erwachte in der bezaubernden Stille der Morgendämmerung.

— Der Morgen bricht an! — rief Ellis mir dicht in's Ohr . . . Lebwohl! Auf Wiedersehen morgen!

Ich wandte mich . . . Leicht von der Erde sich emporhebend schwebte sie an mir vorüber — und plötzlich erhob sie beide Hände über den Kopf. Dieser Kopf, diese Hände und Schultern erglühten plötzlich in einem warmen Fleischton; in den dunklen Augen sprühten lebendige Funken; ein geheimes Lächeln der Zärtlichkeit bewegte die erröthenden

Lippen... Ich sah ein reizendes Weib vor mir... aber als ob sie in Ohnmacht fiele, schlug sie plötzlich zurück und zerfloß wie Dampf...

Ich blieb unbeweglich stehen.

Als ich wieder zur Besinnung kam und umherblickte, schien es mir, daß die warme Fleischfarbe, welche das Antlitz meiner Erscheinung umglühte, noch nicht verschwunden sei, sondern in der Luft zerfließend mich umgebe ... Das war das Morgenroth. Mich überfiel jählings eine außerordentliche Müdigkeit und ich ging meinem Hause zu. An dem Vogelhofe vorüberkommend hörte ich das erste Morgenschnattern der jungen Gänse (kein Vogel erwacht früher als sie). Auf den Kanten der Dächer saßen eine Menge Dohlen, geschäftig, aber geräuschlos an sich herumschnäbelnd, um sich zu reinigen; scharf zeichneten sich ihre Umrisse am milchhellen Himmel ab. Zuweilen flatterten sie zusammen auf — dann, nach kurzem Fliegen, setzten sie sich wieder in langer Reihe hin, ohne zu krächzen... Aus dem nahen Gehölze erschallte zweimal der heisere morgenfrische Laut des Auerhahns, welcher eben in das thauige, Erdbeerendurchwachsene Gras heruntergeflogen war...

Von leisem Beben durchfröstelt erreichte ich mein Bett und lag bald in tiefem Schlafe.

XI.

Als ich mich in der folgenden Nacht wieder auf den Weg machte zur alten Eiche, kam mir Ellis wie einem Bekannten entgegen. Statt mich vor ihr zu fürchten, wie gestern, freute ich mich beinahe über sie; ich dachte selbst nicht daran über das mit mir Vorgegangene Aufklärung zu verlangen; ich wollte nur weiter fliegen nach merkwürdigen Orten.

Ellis schlang ihren Arm um mich — und wir schwebten wieder davon.

— Nach Italien! flüsterte ich ihr in's Ohr.

— Wohin Du willst, Geliebter, erwiderte sie feierlich und ruhig, und ruhig und feierlich kehrte sie mir ihr Antlitz zu. Es schien mir nicht so durchsichtig zu sein wie Nachts vorher; weiblicher und ernster im Ausdruck, erinnerte es mich an jenes herrliche Geschöpf, welches vor dem Scheiden beim Morgenglühen einen Augenblick vor mir erschien.

— Die heutige Nacht ist eine große Nacht, fuhr Ellis fort. Sie kommt nur selten — wenn siebenmal dreizehn . . .

Einige Worte konnte ich nicht mehr hören.

— In dieser Nacht kann man sehen, was sonst verhüllt bleibt.

— Ellis! rief ich, wer bist Du denn? sag' mir's doch endlich!

Schweigend erhob sie ihren langen weißen Arm.

Am dunklen Himmel, dort, wohin ihr Zeigefinger wies, zwischen kleinen Sternen, schimmerte mit röthlichem Schweif ein Komet.

— Wie soll ich Dich verstehen? hub ich wieder an. Oder schwebst Du — wie dieser Komet zwischen Planeten und Sonnen hindurchzieht — als ein Mittelding zwischen den Menschen und ... welchen andern Wesen umher?

Aber Ellis' Hand legte sich plötzlich auf meine Augen ... wie weißer Nebel aus feuchter Ebene umfing es mich ...

— Nach Italien! nach Italien! hört' ich sie flüstern. — Diese Nacht ist eine große Nacht!

XII.

Der Nebel vor meinen Augen theilte sich, und ich sah unter mir eine endlose Ebene. Aber aus der warmen und weichen Luft, welche meine Wangen umfächelte, konnt' ich entnehmen, daß ich nicht mehr in Rußland war; auch diese Ebene sah unsern russischen Ebenen nicht ähnlich. Es war das eine ungeheure trübe Fläche, augenscheinlich ohne Vegatation, ganz öde. Hier und da erglänzten, über die ganze Ausdehnung hin, wie Spiegelscherben, stehende Wasser; in der Ferne zeigten sich die unbestimmten Umrisse des nicht hörbaren und unbeweglichen Meeres. Aus den Zwischenräumen, welche die mächtigen, schönen Wolken ließen, erglänzten groß und hell die Sterne; ein tausendstimmiges, unaufhörliches, aber nicht lautes Trillern erscholl von allen Seiten — und einen wunderbaren Eindruck machte dieses durchdringende und doch schläfrige Getöse, diese nächtliche Stimme der Wüste . . .

— Das sind die pontinischen Sümpfe, flüsterte Ellis. — Hörst Du die Frösche? Riechst Du die Schwefeldünste?

— Die pontinischen Sümpfe . . . wiederholte ich, und ein Gefühl großartiger Traurigkeit überkam mich. — Aber warum hast Du mich hieher gebracht, in dieses traurige, verworfene Land? Fliegen wir lieber nach Rom.

— Rom ist nahe, antwortete Ellis ... Mach Dich bereit!

Wir erhoben uns und flogen die alte Römerstraße entlang. Ein Büffel erhob langsam aus dem schlammigen Moor seinen zottigen, ungeheuerlichen Kopf, mit den kurzen, borstigen Schöpfen zwischen den schief zurückgebogenen Hörnern. Er zeigte das Weiße seiner stumpfsinnig bösen Augen und schnaubte schwer mit den feuchten Nasenlöchern, gleich als ob er uns röche.

— Rom, Rom ist nahe ... flüsterte Ellis. — Schau vorwärts, vorwärts ...

Ich erhob die Augen.

Was dunkelt dort am Saume des nächtlichen Himmels? Sind das die Bogen einer kolossalen Brücke? Ueber welchen Strom führt sie? Warum ist sie stellenweise unterbrochen? Nein, das ist keine Brücke, sondern eine alte Wasserleitung. Rings dehnt sich der geheiligte Boden der Campagna aus; dort fern erheben sich die Albanischen Berge — ihre Gipfel und der graue Rücken der alten Wasserleitung erglänzen matt in den Strahlen des eben erst aufgehenden Mondes ...

Plötzlich schwangen wir uns hoch durch die Luft

und blieben schweben vor einer einsamen Ruine. Niemand vermöchte zu sagen was sie früher war: ein Grabmal, ein Palast oder Thurm . . . Dunkler Epheu umrankte sie mit all seiner tödtlichen Gewalt — unten aber gähnte wie ein Rachen ein halbeingefallenes Gewölbe. Schwerer Grabesgeruch wehete mir aus der Brust dieser kleinen, dicht zusammengefügten Steine entgegen, mit welchen die marmorne Bekleidung der Mauer längst abgebröckelt war.

— Hier, rief Ellis und erhob die Hand: Hier! — Sprich laut, dreimal nach einander den Namen eines großen Römers aus.

— Was wird dann geschehen?

— Das wirst Du sehen.

Ich dachte ein wenig nach. — Divus Cajus Julius Caesar! rief ich plötzlich. Divus Cajus Julius Caesar! wiederholte ich gedehnt; — Caesar!

XIII.

Die letzten Klänge meiner Stimme waren kaum verhallt, als ich vernahm . . .

Es ist schwer genau zu beschreiben was ich hörte. Anfangs klang es wie dumpfes, dem Ohr kaum vernehmbares, aber sich immer wiederholendes Drommetengeschmetter und Händeklatschen. Es war, als ob irgendwo, in grauer Ferne, in bodenloser Tiefe plötzlich eine zahllose Menschenmenge sich in Bewegung setzte — und aufsteigend, vordrängend, durcheinander woge, sich untereinander zurufe, kaum hörbar wie im Traume, nach tiefem, vieljahrhundertlangem Schlafe. Dann wirbelte und dunkelte die Luft über dem Abgrunde ... Undeutlich tauchten vor mir in der Ferne Myriaden Schatten auf, Millionen Umrisse, da abgerundet wie Helme, dort spitz aufstarrend wie Spieße; die Strahlen des Mondes stoben wie schnellverglimmende bläuliche Funken auf diesen Spießen und Helmen umher — und diese ganze Heerschaar, diese wogende Masse bewegte sich näher und näher, immer wachsend und anschwellend ... Eine unbeschreibliche Anstrengung trieb sie vorwärts, eine Anstrengung, als ob sie sich stark genug fühlten die ganze Welt aus den Fugen zu heben; aber keine Gestalt war deutlich zu erkennen ... Und plötzlich erschien es mir, als geschehe ein Zittern und Beben weitum, als ob gewaltige Wogen zurückprallend sich theilten ... „Caesar, Caesar venit!" erschollen Stimmen, ähnlich dem Rauschen der Blätter, durch welche jählings der Sturm braust . . . ein dumpfer Schlag erdröhnte, und ein bleiches, strenges Haupt, mit einem Lorbeerkranze, die Augenlider gesenkt, das Haupt des Imperators erhob sich langsam aus dem Abgrunde . . .

Die Sprache hat keinen Ausdruck für den Schrecken, der mir bei diesem Anblick das Herz zusammenschnürte. Mir war es als ob ich auf der Stelle sterben müßte, wenn dieser Kopf seine Augen aufschlüge, seine Lippen öffnete.

— Ellis! stöhnte ich — ich will, ich mag nicht länger weilen, ich mag dieses Rom, dieses rauhe, furchtbare Rom nicht . . . fort, fort von hier!

— Kleinmüthiger! flüsterte sie — und wir flogen weiter. Ich hörte noch hinter mir den eisern dröhnenden, diesmal lauten Ruf der Legionen . . . dann wurde Alles finster und still.

XVI.

— Sieh Dich um — sagte Ellis — und beruhige Dich.

Ich gehorchte — und, ich erinnere mich: der erste Eindruck war so süß, daß ich nur seufzen konnte.

Ein bläulich rauchfarbiges, silbernweiches Etwas — es war weder Licht noch Nebel — umhüllte mich von allen Seiten. Anfangs unterschied ich nichts; mich blendete dieser himmelblaue Glanz — aber nach und nach traten die Umrisse prächtiger Berge und Wälder hervor; ein See wogte unter mir mit in der Tiefe zitternden Sternen, mit dem schmeichelnden Rauschen der Brandung. Orangenduft drang mir entgegen wie eine Welle und mit ihm zugleich kamen an mein Ohr die reinen Töne einer jugendlich weiblichen Stimme. Dieser Duft, diese Töne zogen mich nur so zur Erde, und ich fing an herunterzuschweben, herunter einem prachtvollen marmornen Schlosse zu, welches gastlich einladend zwischen Cypressenhainen schimmerte. Die Töne floßen aus seinen weitgeöffneten Fenstern; die Wogen des Sees, mit Blumenstaub übersäet, plätscherten an seine Mauern — und gerade gegenüber, ganz umkleidet vom dunklen Grün der Pomeranzen und Lorbeerbäume, ganz umflossen von glänzendem Duft, ganz übersäet mit Statuen, edelgeformten Säulen und Tempelhallen, erhob sich aus dem Schoße des Wassers eine hohe, runde Insel . . .

— Isola Bella! sagte Ellis . . . Lago Maggiore . . .

Ich erwiderte nur: Ah! und fuhr fort mich herabzulassen. Die weibliche Stimme ertönte immer lauter, immer heller im Schlosse; unwiderstehlich zog es mich hin zu ihr; ich wollte in das Antlitz der Sängerin sehen, welche solche Nacht durch solche Töne beseelte. Wir hielten vor dem Fenster an. In der Mitte des Zimmers, welches im pompejanischen Geschmack eingerichtet war und überhaupt mehr einer antiken Halle als einem modernen Salon ähnlich sah, umringt von griechischen Bildsäulen, etruskischen Vasen, seltenen Gewächsen, Geweben, von oben beleuchtet durch die sanften Strahlen zweier Lampen in kristallenen Kugeln — saß am Flügel eine junge Frau. Den Kopf leicht zurückgebogen und die Augen halbgeschlossen, sang sie eine italienische Arie; sie sang und lächelte — Sie lächelte ... und der Faun des Praxiteles, träge, jung wie sie, verzärtelt, wollüstig, schien ihr entgegenzulächeln aus seiner Ecke, hinter den Zweigen des Oleander her, durch den feinen Rauch, der aus dem bronzenen Räucherfaß, auf alterthümlichem Dreifuß ruhend, sich erhob. Die junge Schöne war allein. Bezaubert von den Tönen, der Schönheit, dem Glanze und Wohlgeruche der Nacht, bis in's innerste Herz bewegt von dem Schauspiel dieses jungen, friedlichen, lichten Glücks, vergaß ich gänzlich meine Gefährtin, vergaß in welcher wundersamen Weise ich Zeuge dieses mir so fernen, so fremdartigen Lebens geworden — und ich wollte mich schon der Sängerin nähern, sie anreden . . .

Plötzlich erdröhnte mein ganzer Körper von einem heftigen Stoße. Ich sah mich um . . . Ellis' Gesicht war — bei all seiner Durchsichtigkeit — finster und drohend; in ihren jäh aufgeschlagenen Augen brannte unheimliche Bosheit . . .

— Fort! flüsterte sie ingrimmig, und wieder spürt' ich Wirbelwind, Finsterniß und Schwindel . . . Nur klang mir diesmal nicht der Ruf der Legionen, sondern die Stimme der Sängerin, auf einer hohen Note aushaltend, in den Ohren nach . . .

Wir hielten an. Dieselbe Note klang immer noch fort, ich konnte ganz deutlich wahrnehmen, daß es dieselbe war, obgleich ich eine ganz andere Luft, einen ganz anderen Geruch um mich spürte . . . Mich umwehete eine stärkende Frische, wie von einem großen Strome kommend — und es roch nach Heu, Rauch, Hanf. Einer langgedehnten Note folgte eine zweite, dann eine dritte, aber mit so unzweifelhafter Schattirung, mit so bekannten, heimathlichen Läufen, daß ich mir gleich sagte: „Das ist ein Russe, der ein russisches Lied singt" — und in demselben Augenblick wurde Alles um mich hell.

XV.

Wir befanden uns an einem flachen Ufer. Zur Linken dehnten sich in endloser Weite abgemähte Wiesen aus, mit hochaufgeschichteten Heuhaufen; zur Rechten zog sich in ebenso endloser Weite der glatte Spiegel des wasserreichen Stromes hin. Unfern des Ufers wiegten sich große, dunkle, vor Anker liegende Barken leise hin und her, ihre schlank zugespitzten Masten wie Zeigefinger bewegend. Aus einer dieser Barken drangen zu mir die Töne einer klangvollen Stimme herüber und es flackerte darin ein kleines Feuer, dessen langer, rother Wiederschein sich zitternd im Wasser spiegelte. Hin und wieder, sowohl auf dem Wasser wie auf dem Felde, aber nicht deutlich zu unterscheiden, ob nah oder fern, schimmerten andere kleine Feuer, bald scheinbar verschwindend, bald wieder große Strahlen schießend; die zahllosen Grashüpfer

3*

mit ihrem unaufhörlichen Geschwirre machten einen Lärm, der dem Gequäcke der Frösche in den pontinischen Sümpfen nichts nachgab — und unter dem wolkenlosen, aber tiefhängenden, dunkeln Himmelsgewölbe schrieen hin und wieder Vögel, die sich den Blicken entzogen.

— Wir sind in Rußland? fragte ich Ellis.

— Dies ist die Wolga, antwortete sie.

Wir schwebten das Ufer entlang. — Warum hast Du mich hinweggetragen von dort, aus jenem herrlichen Lande? fragte ich. — Mißgönntest Du mir mein Glück, oder ist nicht die Eifersucht in Dir erwacht."

Die Lippen Ellis' erzitterten leise und in ihren Augen funkelte wieder der Zorn; aber bald nahm ihr Gesicht auf's Neue den Ausdruck völliger Starrheit an.

— Mich verlangt nach Hause, sagte ich.

— Wart, wart, erwiderte Ellis. — Die heutige Nacht — ist eine große Nacht. Sie kehrt sobald nicht wieder. Du kannst Zeuge sein . . . warte noch! — Und wir flogen plötzlich über die Wolga, in schräger Richtung dicht über die Wasserfläche hin, niedrig und stoßweise, wie die Schwalben vor dem Gewitter. Breite Wellen keuchten schwer unter uns, der schneidende Stromwind schlug uns mit seinem kalten, kräftigen Flügel . . . Das hohe rechte Ufer begann sich im Halbdunkel vor uns zu erheben. Es zeigten sich uns steile Berge mit mächtigen Spalten und Rissen. Wir näherten uns ihnen.

— Ruf: Sarin Nakischko! flüsterte Ellis mir zu.

Ich erinnerte mich des Grausens, das über mich kam beim Erscheinen der römischen Legionen, ich fühlte eine Müdigkeit und eine seltsame Wehmuth, das Herz schmolz mir gleichsam in der Brust — ich wollte die verhängnißvollen Worte nicht aussprechen, ich wußte vorher, daß auf meinen Ruf (wie in der Wolfsschlucht des „Freischütz") etwas Ungeheuerliches erscheinen werde — allein meine Lippen öffneten sich gegen meinen Willen und, ebenfalls gegen meinen Willen, rief ich mit schwacher, angestrengter Stimme: Sarin Nakischko! [1])

[1]) Sarin Nakischko war das Geschrei der alten Wolgaräuber, wenn sie ein Schiff angriffen.

XVI.

Erst blieb Alles still, gerade wie damals vor der römischen Vision — aber plötzlich schlug an meine Ohren ein ganz nahes rohes, bäurisches Gelächter — und irgend ein Körper fiel stöhnend in's Wasser und fing an zu glucksen . . . Ich schaute mich um: nirgends war etwas zu sehen — aber vom Ufer sprang das Echo zurück; und zu gleicher Zeit erhob sich jählings von allen Seiten ein betäubender Lärm. Was scholl Alles in diesem Chaos von Tönen durcheinander! Schreien und Wimmern, wüthendes Schimpfen und maßloses Lachen (dieses Lachen übertönte Alles), Ruder- und Beilschläge, ein Krachen wie von gesprengten Thüren und aufgebrochenen Koffern, Knarren von Takelwerk und Rädern, Hufschlag rennender Pferde, Sturmläuten und Kettengerassel, das dumpfe Tosen, Knistern und Brausen einer Feuersbrunst, das Singen Betrunkener und wirrer Wortstreit, trostloses Weinen, jammervolles Flehen Verzweifelnder — und befehlende Rufe, das Röcheln Sterbender und keckes Pfeifen, Kreischen und Stampfen Tanzender . . . „Schlag ihn todt! Häng ihn! Ersäuf ihn! Schlag ihm den Kopf ab!

Gleich! Gleich! So recht! Kein Mitleid!" — Diese Worte konnt' ich deutlich hören — ich hörte sogar das stoßweiße, heftige Athmen der Erschöpften — und inzwischen war ringsum, soweit die Augen reichten, nichts zu sehen, nichts hatte sich verändert: der Strom floß dicht an uns vorüber, geheimnißvoll, fast drohend; selbst das Ufer sah noch öder und verwildeter aus als früher — das war Alles.

Ich wandte mich um zu Ellis, aber sie legte den Finger an die Lippen . . .

— Stephan Timoféitsch![1]) Stephan Timoféitsch kommt! — erscholl es ringsum — unser Väterchen kommt, unser Ataman, unser Ernährer! — Erst sah ich so wenig wie vorher, dann schien es mir ich fühlte, als ob eine mächtige Gestalt sich gerade auf mich zu bewege... — Frolka! wo bist Du, Hund? — erdröhnte eine fürchterliche Stimme . . . Zünde an von allen Seiten — unter das Beil mit den Weißhändigen!

[1]) Der berühmte Rebell Stenko Rasin, der unter der Regierung des Zaren Alexéi Michailowitsch die Cosaken vom Don aufgewiegelt und an der Spitze eines Heeres von 200,000 Mann Rußland mit Feuer und Schwert verwüstete, bis er gefangen genommen und (1671) in Moskau hingerichtet wurde.

Mich berührte es wie die Glut einer nahen Flamme, ein bitter-brandiger Geruch drang mir in die Nase, und in demselben Augenblicke spritzte mir etwas Warmes, wie Blut, in's Gesicht und auf die Hände . . . Ringsum gellte ein wildes Lachen . . .

Ich verlor das Bewußtsein — und als ich wieder zu mir kam, schwebt' ich mit Ellis den bekannten Saum meines Waldes entlang, gerade auf die alte Eiche zu . . .

— Siehst Du den Weg? sagte Ellis... Dort wo der Mond trübe scheint und die zwei Birken stehen? ... Willst Du dorthin?

Ich fühlte mich so zerschlagen und erschöpft, daß ich zur Antwort nichts murmeln konnte, als: „Nach Hause . . . nach Hause."

— Du bist zu Hause, entgegnete Ellis.

Ich stand in der That gerade vor der Thüre meines Hauses — allein. Ellis war verschwunden. Der herbeigelaufene Hofhund umschnüffelte und betrachtete mich argwöhnisch — und lief dann bellend wieder davon.

Ich schleppte mich mit Mühe an's Bett, und schlief unausgekleidet ein.

XVII.

Am folgenden Morgen hatte ich Kopfschmerz und konnte kaum auf den Füßen stehen; doch beachtete ich meine körperlichen Zustände wenig: die Reue zernagte mich, ich erstickte vor Aerger.

Ich war im höchsten Grade mit mir unzufrieden. „Kleinmüthiger! — wiederholt' ich mir unaufhörlich: ja — Ellis hatte Recht. Weshalb fürchtete ich mich?" Wie konnt' ich nur solche Gelegenheit unbenutzt vorübergehen lassen! . . . Ich hätte Cäsar selbst sehen können und ich kam um vor Furcht, zitterte und scheute zurück wie ein Kind vor der Ruthe. Stenko Rasin [1]) — das war freilich etwas ganz Anderes. Als Edelmann und Landbesitzer. Uebrigens, warum blieb ich auch dabei nicht ohne furchtsame Anwandlungen? Kleinmüthiger! Kleinmüthiger! . . .

— „Aber hab' ich das Alles nicht etwa blos im Traume gesehen," fragte ich mich endlich. Ich rief meine Haushälterin.

Marfa, um welche Stunde hab' ich mich gestern schlafen gelegt? Erinnerst Du Dich wohl?

[1]) S. Anm. S. 39.

— Ja, wer kennt sich bei Dir aus, mein Ernährer . . . Es war schon spät. In der Dämmerung bist Du fortgegangen von Haus; aber es war schon nach Mitternacht als ich das Schallen Deiner Stiefelabsätze im Schlafzimmer hörte. Es ging schon stark auf den Morgen zu — wahrhaftig. In der vorhergehenden Nacht war's ebenso. Dich haben gewiß Sorgen umhergetrieben.

— Also — dachte ich — unterliegt mein Fliegen wirklich keinem Zweifel! Nun, wie seh' ich denn heute aus? fügte ich laut hinzu.

— Wie Du heute aussiehst? Wart, ich werde Dich genauer betrachten. Du bist ein wenig abgemagert und bleich geworden, mein Ernährer: es ist als hättest Du auch nicht Einen Tropfen Bluts im Gesichte.

Mich schauderte ein wenig bei diesen Worten... Ich entließ Marfa.

„Das ist zum Sterben oder — um den Verstand zu verlieren," sagte ich zu mir selbst, nachdenklich am Fenster sitzend. „Das kann und darf so nicht fortdauern. Das ist gefährlich. Und wie mir das Herz so seltsam schlägt! Wenn ich fliege, ist es mir immer als ob Jemand mir am Herzen sauge, oder als ob etwas heraustränfle, etwa wie im Frühling der Saft aus den Birken, wenn ein Beilhieb sie trifft, oder ein Loch hineingebohrt wird. Das ist traurig und geht nicht mit rechten Dingen zu. Und nun gar Ellis! Sie spielt mit mir wie die Katze mit der Maus . . . übrigens wird sie es kaum böse mit mir meinen. Ich werde mich ihr zum letztenmal anvertrauen und mich satt sehen. Wenn sie aber mein Blut trinkt? Das wäre fürchterlich. Außerdem kann dieses so rasche Schweben von einem Orte zum andern nicht unschädlich sein. Sagt man doch, daß es in England verboten sei, mehr als 120 Werste auf der Eisenbahn in einer Stunde zurückzulegen . . ."

So grübelte ich für mich hin und her — allein in der zehnten Stunde Abends stand ich schon wieder vor der alten Eiche.

XVIII.

Die Nacht war düster, kalt und feucht; in der Luft roch es nach Regen. Ich war erstaunt, Niemand unter der Eiche zu finden; ich umschritt sie einige Male, ging bis dicht zum Saume des Waldes, ließ die Augen spähend durch das Dunkel umherschweifen . . . Alles war öde. Ich wartete ein wenig, dann rief ich einige Male hintereinander Ellis, immer lauter und lauter . . . allein sie erschien nicht. Mir wurde traurig zu Muthe, ich fühlte mich wie gekränkt; alle meine früheren Befürchtungen waren verschwunden; ich konnte mich in den Gedanken nicht finden, daß meine geheimnißvolle Gefährtin nicht zu mir zurückkehren werde.

— Ellis! Ellis! komm! Wär' es möglich, daß Du nicht wieder zu mir kämest? rief ich zum letzten Male.

Ein Rabe, den mein Rufen geweckt hatte, schwang sich plötzlich in den Gipfel des benachbarten Baumes und schlug heftig mit den Flügeln, sich in den Zweigen verwirrend . . . Aber Ellis erschien nicht.

Mit gesenktem Haupte machte ich mich auf den Weg nach Hause. Vor mir dunkelten schon die Weiden auf dem Damme des Teiches, und das Licht in meinem Zimmer glitzerte zwischen den Apfelbäumen des Gartens, es glitzerte und verbarg sich abwechselnd wie ein über mich wachendes Menschenauge — da plötzlich vernahm ich ein feines Pfeifen hinter mir in der schneidenden Luft, und fühlte mich mit Einemmale von oben bis unten umfaßt und umschlungen . . . So packt der Bienenfalke mit den Klauen eine Wachtel, auf die er gestoßen . . . Ellis war es, die sich so an mich geschwungen hatte. Ich fühlte ihre Wange an meiner Wange, den Ring ihres Arm's um mich geschlungen, und wie ein scharfer, kalter Luftzug drang mir ihr Geflüster in's Ohr: „Da bin ich auch." Furcht und Freude bewegten mich zu gleicher Zeit . . . Wir erhoben uns nur wenig über die Erde.

— Du wolltest heute nicht kommen? fragte ich.

— Und hast Du Dich wirklich nach mir gesehnt? Liebst Du mich? O Du bist mein!

Ellis' letzte Worte beunruhigten mich . . . Ich wußte nicht was ich sagen sollte.

— Man hat mich zurückgehalten — fuhr sie fort — man hat mich bewacht.

— Wer kann Dich zurückhalten?

— Wohin willst Du? fragte Ellis, wie gewöhnlich auf meine Frage nicht antwortend.

— Trag mich nach Italien, auf jene Insel — Du erinnerst Dich?

Ellis bog sich leicht zurück und schüttelte abweisend den Kopf.

Da bemerkte ich zum Erstenmale, daß sie aufgehört hatte durchsichtig zu sein. Und es kam mir vor, als sei ihr Gesicht körperlicher und lebensvoller geworden. Ueber das neblige Weiß hatte sich in feiner Schattirung eine helle Röthe ergossen. Ich sah ihr in die Augen, und es überrieselte mich: in diesen Augen bewegte sich etwas, langsam, aber ununterbrochen, unheimlich — der Bewegung einer erstarrten Schlange ähnlich, welche in der Sonne wieder warm wird.

— Ellis! rief ich; wer bist Du? Sag mir, wer bist Du?

Sie zuckte blos die Achsel.

Ich wurde ärgerlich — ich wollte mich an ihr rächen, — und plötzlich fuhr es mir durch den Kopf ihr zu befehlen mich geradeswegs nach Paris zu tragen. Da wird Nahrung für Deine Eifersucht sein — dachte ich. — Ellis! sprach ich laut: Fürchtest Du die großen Städte nicht? Paris, zum Beispiel?

— Nein.

— Nicht? Auch die Plätze nicht, wo es so hell ist wie auf den Boulevards?

— Das ist kein Tageslicht.

— Vortrefflich! So trag mich gleich auf den Boulevard des Italiens!

Ellis warf mir das Ende ihres langherabhängenden Aermels über den Kopf. Sogleich umgab mich eine Art lichten Dunkels, mit einschläferndem Mohnduft. Alles verschwand mit Einemmale: jedes Licht, jeder Ton — und bis auf ein Geringes auch das Selbstbewußtsein. Nur ein allgemeines Gefühl des Lebens blieb zurück — und das war durchaus nicht unangenehm.

Plötzlich verschwand die Finsterniß; Ellis nahm mir den Aermel vom Kopfe und ich erblickte unter mir ein Labyrinth von Gebäuden, voll Glanz, Leben und Lärm . . . Ich sah Paris.

XIX.

Ich war früher schon öfter in Paris gewesen und erkannte deshalb auf der Stelle den Ort wohin Ellis ihren Flug genommen hatte. Es war der Tuileriengarten, mit seinen alten Kastanienbäumen, eisernen

Gittern, festungsähnlichem Aussehen und mit seinen thierähnlichen Zuaven als Wachen. Vorüberschwebend an dem Schlosse, vorüberschwebend an der Kirche St. Roq, auf deren Stufen der erste Napoleon zum Erstenmale französisches Blut vergoß, hielten wir hoch über dem Boulevard des Italiens an, wo der dritte Napoleon nach dem Beispiele des ersten handelte, und mit gleichem Erfolge. Haufen Volkes, junge und alte Stutzer, Blousenmänner, Frauen in prächtigen Kleidern drängten sich durcheinander; vergoldete Restaurants und Cafés erschimmerten lichterhell; Omnibusse, Wagen jeder Art und jeden Ansehens rollten den Boulevard entlang; ein buntes Schimmern, Lärmen und Drängen überall wohin das Auge schweifte . . . Aber seltsam! ich fühlte nicht das mindeste Verlangen, meine reine, dunkle, luftige Höhe zu verlassen, um mich diesem menschlichen Ameisenhaufen zu nähern. Es schien als ob ein heißer, schwerer, betäubender Dunst von dort aufstiege, weder gerade wohlriechend, noch widerwärtig. Ich schwankte . . . da plötzlich drang schrill wie das Klirren von Eisenstangen die Stimme einer Straßenlorette zu mir herauf; wie eine freche Zunge streckte sich mir gleichsam diese Stimme entgegen; sie berührte mich wie der Stachel irgendwelchen Ungeziefers. Ich stellte mir danach sofort ein steinernes, starkbackenknochiges, gieriges, gemeines Pariser Gesicht vor, wuchernde Augen, weiße und rothe Schminke, hochtoupirtes Haar und ein Bouquet heller künstlicher Blumen unter dem zugespitzten Hute, abgeschabte Nägel wie Krallen, eine unförmliche Krinoline . . . Ich stellte mir zu gleicher Zeit auch unsern Bruder aus der Steppe vor, wie er der feilen Puppe auf Schritt und Tritt folgt . . . Ich stellte ihn mir vor, wie er, seine äußerste Confusion unter dem Anschein der Grobheit bergend, gewaltsam schnarrend beim Sprechen, die Manieren eines Pariser Garçon nachzuahmen sucht, wie er pfeift, grunzend lächelt, schmeichelt und schwänzelt — und ein Gefühl des Ekels überkam mich . . . „Nein," dachte ich, „hier wird Ellis nicht eifersüchtig werden . . ."

Inzwischen bemerkt' ich, daß wir uns allmählig der Erde mehr näherten . . . Paris kam uns mit all seinem Lärm und Qualm entgegen . . .

— Halt! wandte ich mich zu Ellis. Es ist un=

möglich, daß es Dir hier nicht schwül und übel zu Muthe wird.

— Du hast mich selbst gebeten, Dich hieher zu tragen.

— Ich gesteh' es Dir, die Schuld liegt an mir, ich nehme mein Wort zurück. Trag mich fort von hier, Ellis, ich bitte Dich. Sieh nur — wahrhaftig, da hinkt auch der Fürst Kulmametow auf dem Boulevard herum, und sein Freund Sergius Waraxin winkt ihm mit der Hand und ruft: Iwan Stepanitsch, allons souper! j'ai engagé Rigolboche selbst!" Trag mich schnell hinweg von diesen Mabile- und Maison dorée, von diesem Jockeyklub und Figaro, von diesen rasirten Soldatenstirnen und übertünchten Kasernen, von diesen sergeants de ville mit ihren Knebelbärten und Gläsern trüben Absynths, von diesem Dominospiel in den Cafés und dem Spiel an der Börse, von diesen rothen Bändchen, die nicht blos im Knopfloche der Fracks und Röcke, sondern sogar im Knopfloche des Ueberrocks schimmern, von Monsieur de Foua, dem Erfinder „de la spécialité du mariage“ und von den Gratis-Consultationen des Dr. Charles Albert, von den liberalen Vorlesungen und den officiellen Brochüren, von den Pariser Komödien und Pariser Opern, von dem Pariser Witz und der Pariser Unwissenheit . . . fort! fort! fort!

— Blick nieder, antwortete Ellis: Du bist schon nicht mehr über Paris.

Ich senkte das Auge . . . richtig: Eine dunkele Ebene, hier und da von hellen Wegspuren durchschnitten, dehnte sich unter uns, und nur hinten am Horizonte, der Röthe einer ungeheuern Feuersbrunst ähnlich, glänzte der Wiederschein der zahllosen Lichter der Hauptstadt der Welt.

XX.

Wieder fiel eine Hülle über meine Augen . . . wieder verlor ich das Bewußtsein. Endlich sank die Hülle.

Was seh' ich dort unter mir? Was für ein Park ist das mit zugestutzten Lindenalleen, mit abgerundeten Rothtannen wie Sonnenschirme, mit Säulenhallen und Tempeln im Pompadour-Geschmacke, mit Bildsäulen von Satyrn und Nymphen aus der Schule Bernini's, mit Rococo-Tritonen in der Mitte gewundener Teiche, mit diesen verzierten niedrigen Geländern aus geschwärztem Marmor? Ist das nicht Ver-

4*

sailles? Nein, es ist nicht Versailles. Ein kleines Schloß, ebenfalls Rococo, lugt dort hinter der Menge krauser Eichen hervor. Der Mond scheint trübe, von Dünsten verhüllt, nnd auch über der Erde ist ein feiner Dampf ausgebreitet. Das Auge vermag nicht zu unterscheiden, ob es Mondschein oder Nebel ist, was sich da zeigt. Dort auf einem der Teiche schläft ein Schwan; sein langer Rücken schimmert wie gefrorener Steppenschnee, und dort funkeln Leuchtwürmchen wie Diamanten im bläulichen Schatten zu Füßen der Statuen.

— Wir sind in der Nähe von Mannheim, sagte Ellis: — das da ist der Schwetzinger Garten.

— So sind wir in Deutschland! dachte ich und fing an zu lauschen. Alles war still; nur von einer Seite her, einsam und unsichtbar, plätscherte eine Quelle. Es war, als ob sie immer ein und dasselbe Wort wiederholte: „Ja, ja, immer ja!" Und plötzlich schien es mir, als ob gerade in der Mitte einer der Alleen, zwischen Mauern beschnittenen Grüns, ein Kavalier auf hohen, rothen Absätzen, in goldgesticktem Gewande und mit gekräuselten Manschetten, einen leichten Stahldegen an der Seite, einherschreitend, einer Dame mit gepuderter Thurmfrisur und Schönpflästerchen geziert, die Hand reiche . . . Seltsame, bleiche Gesichter! . . . Ich will sie mir näher ansehen — aber sie sind schon verschwunden. Nur das Wasser plätschert weiter in seiner einförmigen Weise.

— Das sind Träume, die dort umgehn, flüsterte Ellis — gestern waren ihrer viele zu sehen . . . viele. Heute lassen sich kaum diese Träume noch von dem menschlichen Auge sehen. Vorwärts! vorwärts! Wir schwangen uns höher empor und flogen weiter. So eben und gleichmäßig war unser Flug, daß es schien, als ob wir uns selbst nicht bewegten, sondern umgekehrt Alles sich uns entgegen bewegte. Dunkle, wogenförmig geschwungene waldbedeckte Berge tauchten auf; sie wuchsen und streckten sich zu uns empor. Da sehen wir sie schon dicht unter uns mit all ihren Krümmungen, Wendungen, Einschnitten, schmalen Wiesen, mit Feuerpunkten in den schlummernden Dörfern und raschen Bächen in den Thalgründen; aber vorn tauchen wieder andere Berge auf . . Wir sind im Herzen des Schwarzwaldes.

Berge, lauter Berge . . . und Waldung, prächtige, alte, mächtige Waldung. Der nächtliche Himmel ist klar: ich kann jede Art von Bäumen unterscheiden, besonders die majestätischen Silbertannen mit ihren weißen, schlanken Schäften. Hier und da am Saume der Waldung zeigen sich Rehe; zierlich und leicht stehen sie da auf ihren dünnen Beinen, allerliebst die Köpfe drehend und ihre großen rohrförmigen Ohren aufrichtend. Die Ruinen eines Thurmes strecken traurig vom Gipfel eines nackten Felsen ihre halbzertrümmerten Zacken empor; über dem alten, verwitterten Gemäuer schimmern jetzt friedlich die goldenen Sterne. Von einem kleinen, beinahe schwarzen See erschallt, wie eine geheimnißvolle Klage, stöhnender Unkenruf. Noch andere, langgezogene, wehmüthige Laute, den Tönen der Aeolsharfe gleich, klangen in mein Ohr . . . Da ist es, das wundersame Land der Sagen! Derselbe feingewobene Mondnebel, der mich in Schwetzingen umwallte, fließt hier überall, und je weiter die Berge sich erstrecken, desto dichter wird er. Ich kann fünf — sechs — zehn verschiedene Abstufungen, Töne und Schattirungen des Schattens auf den Vorsprüngen der Berge unterscheiden und über all dieser schweigenden Abwechselung herrscht träumerisch der Mond.

Die Luft weht lind und leise. Es wird mir selbst lind und leicht zu Muth . . .

— Ellis! Du liebst gewiß dieses Land?

— Ich liebe Nichts!

— Wie so? Aber mich doch?

— Ja, Dich! antwortete sie gleichmüthig.

Es schien mir, daß ihr Arm mich enger als vorher umschlinge.

— Vorwärts! Vorwärts! rief Ellis mit zugleich hinreißendem und kalten Ausdruck.

XXI.

Ein starkes, schillerndes, weithin tönendes Geschrei erschallte plötzlich über uns und wiederholte sich dann sofort schon ein wenig vor uns.

— Das sind verspätete Kraniche, die zu uns nach dem Norden fliegen, sagte Ellis; — willst Du Dich ihnen anschließen?

— Ja, ja! Wir wollen mit ihnen fliegen.

Wir erhoben uns und befanden uns im Augenblick in gleicher Reihe mit dem fliegenden Schwarm. Die starken schönen Vögel (es waren ihrer dreizehn) flogen im Dreieck, nur selten mächtig mit den gewölbten Flügeln die Luft durchschneidend. Steif streckten sie den Kopf und die Beine, gleichmäßig hielten sie die Brust vor, sie flogen unaufhaltsam und mit so stürmischer Schnelligkeit, daß die Luft umher pfiff. Wundersam war es, in solcher Höhe, in solcher Entfernung von allem Lebendigen solch ein glühendes, kräftiges Leben, solch unbeugsamen Willen zu sehen. Ohne Rast und Ruhe, siegreich den Raum durchschneidend, wechselten die Kraniche doch hin und wieder bedeutungsvolle Laute mit ihrem voranfliegenden Genossen, ihrem Führer, und es lag etwas Stolzes, Wichtiges, gleichsam der Ausdruck eines unerschütterlichen Selbstvertrauens in diesen grellen Lauten, in dieser luftigen Unterhaltung. — „Wir werden ankommen, wie es auch sei, obgleich voll Mühe!" schienen sie zu sagen, einander ermuthigend. Und da fuhr mir's durch den Kopf, daß in Rußland — ja was sage ich? in der ganzen Welt sehr wenig Menschen vom Schlage dieser Vögel zu finden sein dürften.

— Wir fliegen jetzt nach Rußland! flüsterte Ellis . . . Ich bemerkte hierbei nicht zum Erstenmale, daß sie beinah immer wußte, woran ich dachte. — Willst Du umkehren? fuhr sie fort.

— Kehren wir um . . . oder auch nicht. Ich war in Paris; trag mich nach Petersburg.

— Jetzt?

— Sogleich . . . Nur verhülle mir den Kopf mit Deinem Aermel, sonst wird mir's übel.

Ellis erhob ihren Arm . . . aber bevor mich noch das Dunkel wieder umfing, spürte ich auf meinen Lippen die Berührung jenes weichen stumpfen Stachels . . .

XXII.

Aufgepaßt! [1]) erschallte in meinen Ohren ein gedehnter Ruf. — Aufgepaßt! erschallt' es wie verzweiflungsvoll aus der Ferne zurück. Aufgepaßt! schien es irgendwo in der weitesten Ferne zu ersterben. Ich schüttelte mich. Eine hohe goldene Nadel fiel mir in die Augen; ich erkannte die Festung Petropawlowsk.

Nordische bleiche Nacht! Ist dieß auch eine Nacht zu nennen? Ist es nicht vielmehr ein bleicher kranker Tag? Ich liebte die Petersburger Nächte nie, aber dieses Mal wurde es mir fast grausig dabei zu Muthe:

1) Sluschai!! (Aufgepaßt) der nächtliche Ruf der Schildwachen in russischen Festungen.

die Gestalt Ellis' verschwand vollständig, löste sich auf wie der Morgennebel in der Julisonne und ich sah deutlich meinen ganzen Körper, wie er schwerfällig und einsam in gleicher Höhe mit der Alexandersäule schwebte. Da ist also Petersburg! Ja, das ist es. Diese öden, breiten, grauen Straßen; diese grauweißen, gelblichgrauen, grauröthlichen, mit Stuck verzierten und theilweise abgebröckelten Häuser mit ihren eingefallenen Fenstern, grellen Aushängeschildern, eisernen Schutzdächern über den Freitreppen und schmutzigen Obstbuden; diese Giebel, Aufschriften, Läden, Buden; die goldene Kuppel der Isaakskirche; die unnütze, buntscheckige Börse, die granitnen Festungsmauern, das schadhafte hölzerne Straßenpflaster; diese Barken mit Heu und Holz beladen; dieser Geruch von Staub, Kohlen, Matten und Ställen; diese in Schaffelle gehüllten, wie versteinert aussehenden Thürhüter an den Pforten; diese wie im Todesschlaf zusammengekrümmten Kutscher auf ihren ausgesessenen Droschkensitzen; ja, das ist es, unser nordisches Palmyra! Alles ist sichtbar ringsum mitten in der Nacht; Alles hell, bis zum Unheimlichen lesbar und hell, und Alles schläft trist, sich seltsam in der trübdurchsichtigen Luft erhebend und abzeichnend. Die Röthe des Abendglühens — eine schwindsüchtige Röthe! — ist noch nicht vergangen und wird bis zum Morgen nicht vergehen am bleichen sternlosen Himmel; sie wirft glühende Streifen über die seiden schimmernde Fläche der Newa, welche nur leise murmelt und sich nur leise bewegt im Vorwärtsstreben ihrer kalten blauen Fluten . . .

— Laß uns weiter fliegen! flüsterte Ellis.

Und ohne meine Antwort abzuwarten, trug sie mich über die Newa, über den Schloßplatz nach Liteina. Unten hörte man Schritte und Stimmen: über die Straße ging ein Haufen junger Leute mit wüsten Gesichtern; sie unterhielten sich von der „Tanzstunde." „Fähnrich Stolpakow der Siebente!" rief plötzlich schlaftrunken ein Soldat, der auf der Wache stand vor einer Pyramide rostiger Kanonenkugeln, und etwas weiter, am offenen Fenster eines hohen Hauses, bemerkte ich ein Mädchen in zerknittertem seidenen Kleide ohne Aermel, mit einem Perlennetze auf den Haaren und einer Cigarrette im Munde. Sie las andächtig in einem Buche: es war das letzte Schöpfung eines unserer modernsten Juvenale.

— Laß uns weiter fliegen! sagte ich zu Ellis.

Nach einer Minute waren schon unter uns die sausenden Tannenwälder und moosigen Sümpfe verschwunden, welche Petersburg umgeben. Wir nahmen unsere Richtung gerade nach Süden: Himmel und Erde, Alles wurde ein wenig dunkler und immer dunkler. Die kranke Nacht, der kranke Tag, die kranke Stadt — Alles blieb hinter uns zurück.

XXIII.

Wir flogen ruhiger als gewöhnlich, und ich konnte mit den Augen die weite Ausdehnung des Heimatlandes Strich für Strich überblicken, als ob ein sich endlos fortsetzendes Panorama nach und nach vor mir entrollt würde. Wälder, Sträucher, Felder, Schluchten, Flüsse — zuweilen einmal ein Dorf und eine Kirche — und dann wieder Wälder, Felder, Sträucher und Schluchten . . . es wurde mir traurig dabei zu Muth und dann überkam mich eine gleichmüthige Langeweile. Und nicht etwa deshalb war ich traurig und gelangweilt, weil ich flog und gerade über Rußland flog. Nein! die Erde selbst, diese endlose Fläche, welche sich unter mir dehnte, die ganze Erdkugel mit ihrer vergänglichen, siechen, durch Noth,

Kummer, Krankheiten bedrängten Bevölkerung, wie sie an die Scholle verächtlichen Staubes festgebannt ist, diese zerbrechliche, rauhe Rinde, die Hülle dieses feurigen Sandkorns von einem Planeten, dieses bischen Schimmel, welches wir hochtönend Pflanzen- und Thierreich tituliren; diese Menschen-Fliegen, tausendmal nichtiger als wirkliche Fliegen, ihre aus Lehm und Kalk zusammengeklebten Wohnungen, die winzigen Spuren ihres kleinlichen einförmigen Thuns und Treibens, ihre kindischen Kämpfe mit dem Unwandelbaren und Unentfliehbaren — wie alles das mir plötzlich zuwider war! Das Herz drehte sich mir im Leibe um und ich mochte nicht länger hinblicken auf diese nichtigen Bilder, auf diese abgeschmackte Ausstattung. Ja, es wurde mir langweilig zu Muthe — schlimmer als langweilig. Ich fühlte selbst kein Mitleid mehr mit meinen Nebenmenschen. Alle Gefühle in mir gingen unter in dem einen, welches ich das Gefühl des Ekels nennen möchte — und am stärksten wandte sich dieses Gefühl — gegen mich selbst.

— Halt an! flüsterte Ellis; — halt an, ich kann Dich sonst nicht weiter tragen. Du fängst an schwer zu werden.

— Fort, nach Hause! antwortete ich ihr mit derselben Stimme, mit welcher ich meinem Kutscher diese Worte zuzurufen pflegte, wenn ich in der vierten Stunde Morgens mich trennte von meinen moskauischen Freunden, mit welchen ich seit dem Diner des vorigen Tages mich unausgesetzt unterhalten hatte über die Zukunft Rußlands und die Bedeutung der Gemeinde. — Fort, nach Hause! wiederholte ich und schloß die Augen.

XXIV.

Aber bald öffnete ich sie wieder. Ellis hatte sich so unheimlich an mich gepreßt; sie erdrückte mich fast. Ich sah auf sie hin — und das Blut gerann in mir. Wer jemals im Gesichte eines Andern den plötzlichen Ausdruck tiefen Grauens gesehen hat, dessen Grund er nicht begreifen konnte — der wird mich verstehen. Grausen, qualvolles Grausen verzerrte und entstellte die bleichen, fast verwischten Züge Ellis'. Nie hatte ich etwas Aehnliches an einem lebendigen Menschenantlitze gesehen. Eine leblos nebelhafte Erscheinung, ein Schatten . . . und diese erstarrende Furcht . . .

— Ellis, was ist mit Dir? fragte ich endlich.

— Sie! . . . sie . . . antwortete sie mit Anstrengung . . . Sie!

— Sie? Wer ist diese Sie?

— Nenne sie nicht! nenne sie nicht! flüsterte hastig Ellis — ich muß auf Rettung bedacht sein, sonst ist's mit Allem vorbei — und auf immer . . . Sieh nur, sieh da!

Ich wandte den Kopf zur Seite, wohin mich ihre zitternde Hand wies, und sah etwas . . . etwas in der That Grausenhaftes.

Dieses Etwas war um so grausiger, als es keine bestimmte Form hatte. Es war etwas Schwerfälliges, Finsteres, Gelblich-schwarzes, Geflecktes, wie der Bauch einer Eidechse, weder Rauch noch Wolke, langsam mit schlangenhafter Bewegung über der Erde sich windend. Das gleichmäßige breite Schaukeln von oben nach unten und von unten nach oben einmal, dieses Schaukeln, welches an einen mit ausgebreiteten Flügeln schwebenden Raubvogel erinnerte, der nach Beute späht, um plötzlich herunterzuschießen, ein anderes Mal das unsäglich ekelhafte Ansaugen an die Erde gleich dem der Spinne an eine gefangene Fliege . . . wer bist du, was bist du, grauenhafte Masse? Unter ihrem Einfluß — das sah ich, das fühlte ich — wurde Alles vernichtet, verstummte Alles . . . Eine faule verderbliche Kälte ging von ihr aus, die Ekel erregte, Uebelkeit erzeugte, die Augen verfinsterte und die Haare sich sträuben machte. Eine Kraft offenbarte sich, jene Kraft, der nichts widersteht, welcher Alles unterthan ist, welche ohne Gesicht, ohne Gestalt, ohne Sinne — Alles sieht, Alles weiß und wie ein Raubvogel sich ihre Opfer erkürt, wie eine Schlange sie erwürgt und leckt mit ihrer frostigen Zunge . . .

— Ellis, Ellis! rief ich wie betäubt — das ist die Vernichtung, das ist der Tod selbst!

Der klagende Laut, den ich schon früher gehört hatte, drang wieder aus Ellis' Munde, aber diesmal glich er mehr dem Ausbruch menschlicher Verzweiflung — und wir stürzten uns weiter. Aber unser Flug war wunderlich und grausenhaft ungleich; Ellis überschlug sich in der Luft und schwankte heftig von einer Seite zur andern, wie ein Rebhuhn, das tödtlich verwundet ist oder den Hund von der Spur seiner Jungen abzubringen sucht. Inzwischen, hinter uns, sich absondernd von jener unerklärbar grausigen

Masse, wälzten sich gewisse lange wässerige Glieder wie ausgestreckte Krallen . . . eine riesige verhüllte Gestalt auf bleichem Roß zuckte für einen Augenblick bis zum Himmel hinan . . . noch verzweifelnder rief Ellis: „Sie hat's gesehen, sie hat's gesehen! Es ist Alles aus! Ich bin verloren!" . . . Dann hört' ich sie noch murmeln: „O ich Unglückliche! Ich hätte können die Gelegenheit benutzen, mich wieder mit Leben zu füllen . . . Aber jetzt Vernichtung! Vernichtung!"

Mir wurd' es unerträglich zu Muthe, . . . ich verlor das Bewußtsein.

XXV.

Als ich wieder zu mir kam, lag ich auf dem Rücken im Rasen und fühlte im ganzen Körper einen dumpfen Schmerz wie von einer heftigen Verletzung. Am Himmel dämmerte der Morgen; ich konnte deutlich alle Gegenstände unterscheiden. Nicht weit von mir, das Birkenwäldchen entlang, lief ein Weg hin, zu beiden Seiten mit Weiden bepflanzt; diese Gegend schien mir bekannt. Ich fing an mich zu erinnern, was mit mir vorgegangen war und zitterte vom Wirbel bis zur Zehe bei dem Gedanken an die letzte unförmliche Erscheinung . . .

„Aber warum erschrak Ellis nur so! dachte ich; — ist auch sie dieser Macht unterthan? Ist sie etwa nicht unsterblich? Ist auch sie der Vernichtung preisgegeben? Wie ist es möglich!"

In der Nähe ließ sich ein leises Seufzen hören. Ich wandte den Kopf. Etwa zwei Schritte von mir lag unbeweglich ausgestreckt eine junge Frau in weißem Gewande mit aufgelöstem dichten Haar und mit entblößter Schulter. Ein Arm war hinter den Kopf zurückgeworfen, der andere lag auf der Brust. Die Augen waren geschlossen und auf den zusammengepreßten Lippen zeigte sich ein leichter, hellrother Schaum. Ist das nicht Ellis? Aber Ellis — ist ein Gespenst, und ich sehe vor mir ein lebendiges Weib. Ich kroch zu ihr hin und beugte mich über sie . . .

— Ellis, bist Du das? rief ich.

Plötzlich leise erzitternd öffnete sie die langen Augenlider; dunkle durchdringende Augen saugten sich in mich — und in dem Augenblicke saugten sich auch die warmen, feuchten, noch nach Blut riechenden Lippen in mich, weiche Arme wanden sich fest um meinen Hals, eine glühende volle Brust preßte sich krampfhaft an die meine. — Leb wohl, leb wohl auf ewig! rief deutlich eine ersterbende Stimme — und im Nu war Alles verschwunden.

Ich erhob mich mühsam, auf den Beinen schwankend wie ein Betrunkener — und das Gesicht zu wiederholten Malen mit den Händen berührend, spähte ich aufmerksam umher. Ich befand mich nahe der großen Heerstraße, etwa zwei Werst von meiner Wohnung. Die Sonne war schon aufgegangen, als ich den Heimweg suchte.

Alle folgenden Nächte erwartete ich — und ehrlich gestanden, nicht ohne Furcht — das Erscheinen meines Gespenstes; allein es zeigte sich nicht mehr. Ich ging sogar einmal in der Dämmerung nach der alten Eiche, aber auch dort fand sich nichts Ungewöhnliches vor. Uebrigens beklagte ich das Aufhören dieser wundersamen Bekanntschaft nicht allzu sehr. Ich habe viel und lange nachgebacht über diesen un-

5*

begreiflichen, fast albernen Fall — und ich habe mich überzeugt, daß nicht nur die Wissenschaft ihn nicht zu erklären vermag, sondern daß sich auch in den Sagen und Legenden nichts Aehnliches findet. Wer in der That konnte diese Ellis sein? Eine Erscheinung, eine umirrende Seele, ein böser Geist, eine Sylphide, oder endlich ein Vampyr? Zuweilen erschien es mir gar, daß Ellis eine Frau sei, welche ich einst gekannt habe, und ich machte die entsetzlichsten Anstrengungen, um mich zu erinnern, wo ich sie gesehen . . . Zuweilen glaubte ich der Sache auf den Grund zu kommen — erst eben in dieser Stunde, in dieser Minute schien es mir so . . . da plötzlich war Alles wieder wie ein Traumbild verschwunden. Ja, ich habe viel darüber gegrübelt, und doch, wie es so zu gehen pflegt, nichts ergrübelt. Die Meinung oder den Rath anderer Leute darüber zu erfragen, konnte ich mich nicht entschließen. Ich fürchtete, daß sie mich für närrisch halten würden. Endlich habe ich alles Nachdenken darüber aufgegeben, und die Wahrheit zu sagen — es wurde mir nicht schwer. Einerseits hatte ich mich mit der Emancipation, dem Gemeinwohl u. s. w. u. s. w. zu beschäftigen, anderseits mußte ich an die Herstellung meiner Gesundheit denken. Die Brust that mir weh, ich litt an Schlaflosigkeit und Husten. Der ganze Körper war mir wie ausgedörrt, das Gesicht gelb wie bei einem Leichnam. Der Arzt sagte mir, daß ich zu wenig Blut habe, er gibt meiner Krankheit einen griechischen Namen: Anämia, und schickt mich nach Gastein. Aber mein Intendant schwört, daß er ohne mich mit den Bauern nicht „überlegen" könne.

So bleibe dann und überlege.

Aber was bedeuten jene hellen und durchdringenden Töne, jene harmonischen Töne, welche ich höre, wenn bei mir von irgend welchem Todesfalle die Rede ist? Sie werden immer lauter, immer durchdringender . . . Und warum schüttelt es mich so qualvoll beim bloßen Gedanken an die Vernichtung?

Baden-Baden, 1863.

Jakob Passinkow.

I.

Es war zu Petersburg im Winter, am ersten Tage des Carneval, als ich bei einem meiner alten Comilitonen zu Mittag speiste, welcher in seiner frühesten Jugend aussah wie ein schönes, schamhaftes Mädchen, später aber nichts weniger als blöde oder schüchtern war. Jetzt ist er todt, wie die Mehrzahl meiner Studiengenossen. Bei diesem Diner sollten außer mir nur Constantin Alexandrowitsch Assanow und ein Schriftsteller, der sich damals einer gewissen Berühmtheit erfreute, sein. Letzterer ließ sich erwarten; endlich zeigte er durch ein Billet an, daß er nicht kommen könne; seinen Platz nahm ein kleiner Herr mit blonden Haaren ein, eine jener unvermeidlichen Erscheinungen, wie es deren so viele in Petersburg gibt, welche man nirgends einladet und doch überall trifft.

Das Diner währte lange; unser Wirth sparte seine Weine nicht, die uns ein wenig zu Kopfe stiegen, so daß nach und nach Jeder anfing, auszuplaudern, was er Geheimes auf dem Herzen hatte. Welcher Mann hätte nicht irgend ein Geheimniß auf dem Herzen?

Das Gesicht meines Gastfreundes hatte plötzlich den gewöhnlich schüchternen und zurückhaltenden Ausdruck verloren; seine Augen funkelten übermüthig und ein schallendes Gelächter tönte von seinen Lippen. Der kleine Herr mit dem blonden Haar lachte ebenfalls, indem er Töne von sich gab, die wie ein thierisches, rohes Gewieher klangen. Aber am meisten überraschte mich Assanow; er hielt sonst in hohem Grad auf äußere Formen, und plötzlich sah ich ihn mit der Hand über die Stirne fahren, dann eine hochmüthige Miene annehmen, wonach er begann, sich seiner Verbindungen zu rühmen und überhaupt alle Minuten von einem einflußreichen Onkel zu sprechen. Ich erkannte diesen jungen Mann, welchen ich so verschieden in anderen Kreisen gesehen, nicht wieder; augenscheinlich machte er sich lustig über uns und schien eine große Geringschätzung unserer Gesellschaft zu empfinden. Seine Prahlereien empörten mich.

„Hören Sie," sagte ich zu ihm, „wenn wir in

Ihren Augen so armselige Wesen sind, warum bleiben Sie denn nicht bei diesem außerordentlichen Onkel? Oder will er vielleicht nichts mit Ihnen zu schaffen haben?"

Assanow erwiderte mir nichts; er fuhr wieder mit der Hand über die Stirn und rief dann:

„Was für Menschen! Menschen, welche nicht Einen anständigen Salon besuchen, welche keine einzige vornehme Dame kennen, während ich," fuhr er fort, indem er ein Portefeuille aus seiner Tasche zog und darauf schlug, „während ich eine ganze Sammlung Briefe von einem jungen Fräulein besitze, das seines Gleichen in der Welt nicht findet."

Unser Wirth und der kleine Blonde, welche in diesem Augenblicke sehr lebhaft mit einander plauderten, schenkten diesen letztern Worten Assanow's keine Aufmerksamkeit, ich aber war davon gereizt.

„Ich glaube'" erwiderte ich ihm, „Sie Neffe eines glänzenden Onkels wollen uns etwas weiß machen und besitzen gar keine Briefe, wie die, von welchen Sie reden."

„Glauben Sie?" erwiderte er, mich mit hochmüthigem Blicke betrachtend. „Was sind denn dies anders für Papiere?"

Indem er dies sagte, öffnete er seine Brieftasche und zog daraus ein Dutzend an ihn gerichteter Briefe hervor.

Ich kenne diese Schriftzüge, sagte ich zu mir ...

Hier fühl' ich die Schamröthe mir in's Gesicht steigen . . . meine Eigenliebe leidet entsetzlich. Es ist traurig, eine unedle Handlung beichten zu sollen ... aber was ist zu thun? Beim Beginne dieser Erzählung wußte ich, daß ich bis an die Ohren erröthen würde. Indeß ich nehme all meinen Muth zusammen und gestehe, daß . . .

Ich benutzte den trunkenen Zustand Assanow's, um rasch einen der Briefe zu durchfliegen, welchen er auf das von Champagner durchnäßte Tischtuch gelegt hatte. Mir selbst war der Kopf wüst und das Herz schlug in lauten Schlägen.

Ach, ich war verliebt in die, welche an Assanow geschrieben hatte und konnte jetzt nicht mehr zweifeln, daß sie ihm geneigt sei. Ihr Brief, französisch geschrieben, war voll von Ausdrücken der Zärtlichkeit und Ergebenheit; sie begann mit den Worten: „Mein lieber Freund Constantin," und schloß mit dem Rath und Versprechen: „Sei vernünftig, wie du es bisher gewesen, und wenn ich mich nicht mit dir verbinde, so werde ich doch keinen Anderen heirathen.“ Wie vom Donner gerührt, blieb ich eine Zeit lang unbeweglich; dann riß ich mich los aus diesem Zustand von Betäubung und stürzte hinaus. Eine Viertelstunde später war ich in meiner Wohnung.

Die Familie Slotnitzky war eine der ersten, deren Bekanntschaft ich machte, als ich von Petersburg nach Moskau übersiedelte; sie bestand aus Vater, Mutter, zwei Töchtern und einem Sohne. Der Vater mit seinem greisen Haar war ein noch gut aussehender Mann, welcher, nachdem er in der Armee gedient, eine einträgliche Stelle bei der Regierung bekleidete. Am frühen Morgen begab er sich auf sein Bureau, nach dem Essen schlief er und Abends besuchte er den Club, um seine Partie Karten zu spielen. Selten sah man ihn in seinem Hause, er sprach ungern und sein Blick war bald finster, bald gleichgültig; außer geographischen und Reise-Werken las er nichts. War er unwohl, so unterhielt er sich damit Zeichnungen auszumalen, schloß sich in sein Zimmer ein, oder neckte Popka, einen alten Papagei. Seine Frau, von kränklicher, schwindsüchtiger Natur, mit großen, tiefliegenden schwarzen Augen und einer Adlernase, lag den ganzen Tag, mit einer Stickerei beschäftigt, auf dem Divan. Mir schien es, als fürchte sie ihren Mann, als habe sie ihm gegenüber kein ganz reines Gewissen. Die älteste Tochter, Barbara, eine starke, hochrothe Blondine von 18 Jahren, saß fortwährend am Fenster, um die Vorübergehenden zu beobachten. Der Sohn, welcher seine Studien in einer Staatsanstalt machte, zeigte sich nur an Festtagen bei seinen Eltern und sprach sehr wenig. Die jüngste Tochter, Sophie, in welche ich verliebt war, hatte denselben verschlossenen Charakter.

Stille herrschte in diesem Hause; eine Stille, welche nur unterbrochen wurde durch das Schreien des Papageis und welche sich drückend auf alle legte, die darin aus- oder eingingen. Selbst die Einrichtung des Salons, die dunkelrothen Gardinen mit großem, gelbem Geranke, die vielen von Stroh geflochtenen Stühle, die verblaßten, gestickten Kissen, auf welchen junge Mädchen und Pudelgesichter abgebildet waren, die schnabelförmigen Lampen und die alten an den Wänden hängenden Bilder: Alles stimmte unwillkürlich traurig, Alles hauchte Einen gleichsam kalt und moderig an.

Als ich von Petersburg kam, machte ich es mir zur Pflicht, mich den Slotnitzky's vorzustellen, da meine Mutter verwandt mit ihnen war. Mit Mühe brachte ich eine Stunde bei ihnen herum und es verging lange Zeit, ehe ich ihr Haus wieder besuchte. Nach und nach wurden meine Besuche häufiger; ich ward angezogen durch Sophie, welche mir Anfangs nicht gefallen hatte und in die ich mich am Ende verliebte.

Sie war von mittlerem Wuchs, schlank und zierlich, fast mager, hatte ein bleiches Gesicht, schwarzes, sehr starkes Haar und große braune Augen, deren Lider stets halb geschlossen waren. Ihre regelmäßigen, feinen Züge und überdies ihre zusammengepreßten Lippen kündigten Festigkeit und Willenskraft an. Ihre Eltern sahen in ihr ein Mädchen von entschlossenem Charakter. „Sie gleicht Katharinen, ihrer ältesten Schwester,“ sagte mir ihre Mutter, als ich mich eines Tages allein mit ihr befand, denn vor ihrem

Manne wagte sie nicht den Namen Katharina auszusprechen. „Sie haben sie nicht gekannt,“ setzte sie hinzu, „sie ist im Kaukasus verheirathet.“

„Denken Sie nur, daß sie sich mit 13 Jahren in den Mann, welchen sie geheirathet, so toll verliebte, daß sie mir damals erklärte, keinen Andern heirathen zu wollen.“

„Alle unsere Anstrengungen, sie davon zurückzubringen, waren fruchtlos. Sie wartete bis zum 23sten Jahre und trotz des Zornes ihres Vaters heirathete sie, wie gesagt. Wird Sophie dieselbe Widerspenstigkeit haben? Gott bewahre sie davor. Aber zuweilen befürchte ich es. Sehen Sie, sie ist kaum 16 Jahre alt und schon kann man sie nicht mehr bändigen.“

In diesem Augenblick trat Herr Slotnitzky ein und seine Frau schwieg.

Es war nicht Sophiens Willenskraft, wodurch sie mir gefallen hatte, nein; aber es lag trotz ihrer Trockenheit, trotz dem Mangel an Lebendigkeit und Einbildungskraft ein so eigenthümlicher Reiz in ihr, der Reiz der Geradheit und Seelenreinheit. Ich verehrte sie eben so sehr wie ich sie liebte. Es hatte mir geschienen, als wenn auch sie etwas für mich em=

pfände, und der Gedanke, daß ich nicht mehr auf ihre Zuneigung rechnen dürfe, daß sie einen Anderen liebe, durchzuckte mir schmerzlich das Herz.

Die Entdeckung, welche ich gemacht, war für mich um so auffallender, da Constantin Assanow nur sehr selten zu Slotnitzky's kam, viel seltener als ich, und sich niemals viel um Sophie zu kümmern schien. Dieser Constantin war ein ganz hübscher, brünetter Mann mit etwas groben, aber ausdrucksvollen Zügen, glänzenden, hervorstehenden Augen, breiter, weißer Stirne und rothen, aufgeworfenen, von einem kleinen Schnurrbart beschatteten Lippen. Er hatte eine zurückhaltende und ernste Haltung, sprach mit Zuversicht oder beobachtete ein würdevolles Stillschweigen. Gewiß war es, daß er eine hohe Meinung von sich hatte. Er lachte selten und dann nur zwischen den Zähnen, und niemals tanzte er. Im Allgemeinen war er in seinen Bewegungen wenig lebendig; er hatte früher gedient und für einen guten Officier gegolten.

Welche seltsame Geschichte! dachte ich bei mir, auf meinem Kanapee liegend, und wie ist es nur gekommen, daß ich früher gar nichts davon gemerkt habe! Sei vorsichtig, wie du es bisher gewesen . . . !

Diese Worte aus Sophiens Briefe kamen mir plötzlich in's Gedächtniß zurück . . . O arglistiges Mädchen! Und ich glaubte sie so offen, so wahr! Warte, warte, ich will . . . doch hier brach ich in bittere Thränen aus; ich konnte die ganze Nacht nicht schlafen.

Am andern Tag um zwei Uhr begab ich mich in Sophiens Wohnung. Ihr Vater war ausgegangen und ihre Mutter saß nicht auf dem gewohnten Platz. Nachdem sie die Fastnachtsküchelchen verzehrt, hatte sie Kopfweh bekommen und sich in ihr Schlafzimmer zurückgezogen. Barbara stand ihrer Gewohnheit gemäß an das Fenster gelehnt, um die Vorübergehenden zu betrachten. Sophie ging, die Arme über die Brust gekreuzt, im Zimmer auf und ab. Der Papagei schrie.

„Guten Morgen", sagte Barbara in gleichgültigem Ton, als sie mich eintreten sah; dann fügte sie, als ob sie mit sich selbst spräche, hinzu: da geht ein Mann mit einer Schale."

Es war ihre Gewohnheit, Alles, was sie auf der Straße bemerkte, mit leiser Stimme anzudeuten.

„Guten Tag," sagte ich zu ihr; „guten Tag Sophie Nikolajewna, und wo ist Ihre Mutter?"

„Sie ist in ihr Zimmer gegangen, um sich auszuruhen," erwiderte Sophie, wie vorher auf und abgehend. „Wir hatten heute Fastnachtsgebäck," fügte Barbara hinzu, ohne sich nach mir umzusehen. „Warum sind Sie nicht gekommen? Aber wohin geht denn dieser Beamte?"

Der Papagei ließ fortwährend sein durchdringendes Geschrei vernehmen. — „Wie Ihr Papagei heute so schreit," — sagte ich zu Sophie. —

— „Er schreit immer so."

Wir blieben eine Weile uns stumm gegenüber.

„Er hat sich der Thüre genähert," murmelte Barbara, indem sie plötzlich das kleine Schiebfenster öffnete.

„Von wem sprichst Du?" fragte Sophie.

„Von einem Armen, welchen ich eben bemerkte," erwiderte die Schwester.

Indem sie dies sagte, warf sie durch das Fenster ein kupfernes, von den Phosphorüberbleibseln eines

6*

wohlriechenden Zündhölzchens beflecktes Geldstück, schloß das kleine Schiebfenster wieder und sprang schwerfällig auf den Boden.

„Ich habe gestern einen recht angenehmen Abend verbracht," sagte ich zu Sophie, mich auf einen Lehnstuhl niederlassend. „Ich dinirte bei einem meiner Freunde mit Constantin Assanow."

Bei diesen Worten heftete ich den Blick auf das junge Mädchen, doch ohne die geringste Regung in ihrem Gesichte zu entdecken.

„Ich muß schon gestehen," fuhr ich fort, „daß wir sehr viel getrunken haben . . . acht Flaschen und es waren Unserer nur vier . . ."

„Wirklich!" erwiderte sie in ruhigem Tone, den Kopf hin- und herwiegend.

— „Ja," sagte ich — einigermaßen gereizt durch ihre Gleichgültigkeit, „und wissen Sie, Sophie Nikolajewna, ich muß die Richtigkeit des Sprichworts: „im Wein ist Wahrheit" anerkennen."

— „Wie so?"

— „Constantin Alexandrowitsch hat uns damit unterhalten, denken Sie nur, daß er plötzlich die Hand an die Stirne legte, um uns zu sagen: „Welch ein Mann bin ich! ich habe einen Onkel, der eine hohe Stellung einnimmt." —

Barbara brach in ein stoßweise kurzathmiges schallendes Gelächter aus; der Papagei antwortete ihr mit seinem durchdringenden Geschrei; Sophie blieb vor mir stehen und betrachtete mich aufmerksam.

„Und Sie, was haben Sie gesagt?" fragte sie; erinnern Sie Sich dessen?"

Ich erröthete unwillkürlich.

„Nein," erwiderte ich, „ich entsinne mich dessen nicht; aber ich war auch etwas munter. Es ist sicher," fuhr ich nach einer bedeutsamen Pause fort, „daß der Wein gefährlich ist; man läßt sich leicht durch die Wirkung zu vielen Trinkens hinreißen, höchst unbedachtsam Sachen zu enthüllen, welche eigentlich geheim bleiben sollten. Die Reue kommt dann nach. Doch wir sprechen davon ein anderes Mal. Es ist schon spät."

„Haben Sie etwa auch etwas Unüberlegtes gesagt?"

— „Ich redete nicht von mir."

Sophie drehte sich um und ging wieder im Zimmer auf und ab; mein Blick folgte ihr und ich dachte:

Seltsam! Sie ist nur ein junges Mädchen, ein Kind, und wie hat sie sich in der Gewalt! Sie ist geradezu steinern! Aber warte . . .

„Sophie Nikolasewna“ sagte ich laut.

„Was wollen Sie?“ fragte sie.

„Werden Sie uns nicht etwas auf dem Piano spielen?“ „A propos“, fügte ich mit leiser Stimme hinzu, „ich muß Ihnen etwas mittheilen.“

Ohne nur ein Wort zu erwidern, schritt sie durch den Salon dem Piano zu. Ich folgte ihr.

„Was soll ich Ihnen spielen?“

„Was Ihnen gefällt. Ein Notturno von Chopin.“

Sie setzte sich und begann. Sie spielte ziemlich ungeschickt, aber mit Gefühl. Ihre Schwester spielte nur Walzer und Polka's, und zwar selten. Es war für sie ein förmliches Geschäft, sich mit nachlässigem Schritt dem Instrument zu nähern, sich auf einen Sessel zu setzen und den Burnus abzulegen; denn sie trug stets einen Burnus um die Schultern. Es war ihr schwer, in Zug zu kommen, sie brachte niemals eine Polka zu Ende, fing dann eine neue an, unterbrach sich plötzlich seufzend, stand auf und setzte sich wieder an's Fenster. Seltsames Geschöpf!

Ich saß neben Sophie.

„Hören Sie," sagte ich zu ihr, sie starr ansehend, „ich muß Ihnen eine Entdeckung machen, welche mir sehr schmerzlich ist."

„Was für eine Entdeckung?"

„Hören Sie . . . bis jetzt habe ich mich in Bezug auf Sie vollständig getäuscht."

„In wie fern," erwiderte sie, indem sie fortfuhr zu spielen und die Blicke auf ihre Finger heftete.

„Ich hielt Sie für aufrichtig, unfähig sich zu verstellen; wie hätte ich geglaubt, daß Sie so ganz anders scheinen können, als Sie sind!"

Sophie neigte ihr Haupt auf's Notenheft, dann sagte sie: „Ich verstehe Sie nicht!"

„Nein, niemals," begann ich von Neuem, „würde mir der Gedanke gekommen sein, daß Sie in Ihrem Alter der Verstellungskunst so mächtig seien."

Sophiens Finger zitterten auf den Tasten.

„Was sagen Sie," fragte sie, ohne mich anzusehen, ich mich verstellen . . ."

„Ja, Sie."

Sie lächelte und ich war gereizt.

„Sie stellen sich gleichgültig gegen einen jungen Mann und . . . und schreiben ihm doch . . .“ fügte ich flüsternd hinzu.

Ich sah sie erbleichen. Aber sie drehte sich nicht nach mir um, sie spielte ihr Notturno zu Ende, dann erhob sie sich und schloß das Piano.

„Wo wollen Sie hin?“ fragte ich, nicht ganz ohne Verlegenheit. „Sie antworten mir nicht?“

„Was sollte ich Ihnen auch antworten? Ich weiß nicht, wovon Sie reden, und verstellen kann ich mich nicht.

Sie ordnete ihre Musikalien.

Mir stieg das Blut zu Kopf.

„Sie wissen,“ begann ich wieder, indem ich mich ebenfalls erhob, „um was es sich handelt, und ich kann Ihnen, wenn Sie es wünschen, einige Worte aus Ihren Briefen wiederholen: „Sei vorsichtig, wie Du es bis jetzt gewesen.“

Sophie bebte leise.

„Ich hätte das nicht von Ihnen erwartet,“ sagte sie endlich.

„Noch ich von Ihnen. Wie, Sophie Nikolajewna,

Sie konnten Ihr Vertrauen einem Manne schenken, welcher . . ."

Sophie wandte sich heftig nach mir um; unwillkürlich trat ich zurück; ihre immer halbgeschlossenen Augen hatten sich so weit geöffnet, daß sie förmlich drohend unter den Brauen hervorflammten.

„Und wenn es so ist," fiel sie ein, „so wissen Sie denn, daß ich diesen Mann liebe und daß mich die Meinung, welche Sie über meine und seine Liebe hegen, wenig kümmert. Weshalb mischen Sie Sich darein? Mit welchem Recht reden Sie so mit mir? Und wenn ich entschlossen bin . . ."

Hier brach sie ab und verschwand.

Ich blieb im Salon und fühlte mich plötzlich so verwirrt, daß ich mein Gesicht mit den Händen bedeckte. Ich verstand vollkommen das Unzarte, die Niedrigkeit meiner Handlungsweise, Scham und Reue schnürten mir das Herz zu; ich betrachtete mich wie ein entehrtes Wesen. „Großer Gott," rief ich, „was habe ich gethan?"

„Anton, Anton," rief die Magd im Vorzimmer, „bringen Sie rasch dem Fräulein Sophie ein Glas Wasser!"

„Was ist ihr begegnet?“ fragte Anton.

— „Sie weint, sie weint.“

Ich erschrak und trat in den Salon, meinen Hut zu holen.

„Was haben Sie denn Sophien gesagt?“ fragte mich gleichgültig Barbara, dann nach einer kleinen Weile fuhr sie fort: „Da geht der Schreiber noch immer durch die Straße.“

Ich näherte mich der Thüre.

„Wo wollen Sie hin,“ sagte sie, „warten Sie einen Augenblick, meine Mutter kommt gleich.“

„Nein, ich kann jetzt nicht bleiben, ich komme lieber ein andermal.“ In diesem Augenblick sah ich mit Schrecken Sophie festen Schrittes in das Zimmer treten. Ihr Gesicht war noch bleicher als gewöhnlich, nur ihre Wangen überflog eine leise Röthe. Sie sah mich gar nicht an.

„Sieh doch,“ sagte Barbara, — „wer mag nur der Beamte sein, der so um unser Haus herumstreicht?“

„Vielleicht ein Spion,“ erwiderte Sophie mit kaltem, verächtlichem Tone.

Das war zu viel. Ich ging hinaus und weiß wahrlich nicht, wie ich meine Wohnung erreichte.

Ich kann den bitteren Schmerz, welchen ich empfand, nicht schildern. Ich war völlig niedergebeugt. An einem einzigen Tag zwei furchtbare Schläge! Ich hatte erfahren, daß Sophie einen Andern liebte und hatte für immer ihre Achtung verloren. Ich fühlte mich so beschämt, so schuldig, daß ich mich nicht einmal über mich selbst ärgern konnte. Auf meinem Sopha liegend, das Gesicht gegen die Wand gekehrt, fühlte ich eine Art grausamer Genugthuung darin, mich meiner Verzweiflung zu überlassen, als ich mit einem Male Schritte im Vorzimmer vernahm. Ich erhob den Kopf und vor mir stand einer meiner vertrautesten Freunde: Jakob Passinkow.

Ich war in diesem Augenblick schlecht aufgelegt, Besuche zu empfangen, aber es wäre mir unmöglich gewesen, Passinkow nicht willkommen zu heißen. Nein, im Gegentheil; in der Herbe meines Schmerzes freute es mich, ihn zu sehen, und ich grüßte ihn mit Kopfnicken.

Er ging seiner Gewohnheit gemäß eine Weile in meinem Zimmer auf und ab, seine langen Glieder streckend und ausspannend, dann blieb er eine Weile vor mir stehen und setzte sich schweigend in eine Ecke.

Ich kannte Jakob schon lange, beinahe seit meiner Kindheit, aus der Erziehungsanstalt eines Deutschen, Namens Winterkeller her, bei welchem ich auch drei Jahre zubrachte. Sein Vater, mit dem Titel Major aus dem Dienste getreten, war ein rechtschaffener Mann, aber ohne Vermögen und etwas gestörten Geistes. Jakob war sieben Jahre alt, als er ihn zu dem deutschen Erzieher brachte. Er bezahlte sein Kostgeld ein Jahr voraus, dann verließ er Moskau und ließ nichts wieder von sich hören. Geheimnißvolle, seltsame Gerüchte hatten sich über ihn verbreitet. Acht Jahre nach seiner Abreise erfuhr man, daß er in Sibirien bei der Ueberfahrt des Irtisch ertrunken sei. Was er in Sibirien gewollt? Gott weiß es.

Passinkow hatte früh schon seine Mutter verloren. Es blieben ihm keine anderen Verwandten, als eine Tante, so arm, daß sie es nicht wagte, den Waisenknaben zu besuchen, aus Furcht, man könne ihn ihr aufbürden. Aber diese Furcht war ungegründet. Der gute Deutsche behielt Jakob bei sich, unterrichtete ihn wie seine anderen Zöglinge und ernährte ihn. Nur gab man ihm an gewöhnlichen Tagen kein Dessert und ließ ihm einen Anzug machen aus einem alten verschossenen, tabakfarbigen Ueberwurf der Mutter des Herrn Winterkeller, einer schon sehr bejahrten, aber noch rüstigen und sehr ordnungsliebenden Liefländerin.

Die Zöglinge, welche die Beziehungen und die Abhängigkeit Jakobs kannten, behandelten ihn ein wenig rücksichtslos und nannten ihn bald den Großmutterrock, bald den Nachtmützenneffen, weil seine Tante eine alte Mütze mit gelben Bandschleifen trug, welche einer Artischocke glich; bald nannten sie ihn, eingedenk seines Vaters, welcher im Irtisch umgekommen, den Sohn Jermaks, des abenteuerlichen Eroberers von Sibirien.

Allein trotz diesen Beinamen, trotz allen Bemerkungen über seine eigenthümlich auffallende Kleidung und seine Armuth, liebten ihn seine Mitschüler dennoch, und es wäre unmöglich gewesen, ihn nicht zu lieben.

Ich glaube nicht, daß man in der Welt eine rechtschaffenere und bessere Natur finden konnte; überdies zeichnete er sich in seinen Studien aus.

Als ich ihn zum Erstenmale sah, war er ungefähr sechzehn, ich dreizehn Jahre alt. Ich, das verwöhnte, eitle, selbstgefällige Kind reicher Eltern, schloß, als ich in die Anstalt eintrat, zuerst Freundschaft mit einem jungen Fürsten, welcher der Gegenstand besonderer Aufmerksamkeit des Herrn Winterkeller war, dann mit einigen anderen, der Aristokratie angehörenden Zöglingen. Ich bekümmerte mich nicht um die übrigen, und schenkte Passinkow nicht die geringste Aufmerksamkeit. Dieser große Junge mit seinen linkischen Bewegungen, seinem unförmlichen Rock, kurzen Hosen und groben Strümpfen kam mir vor wie eine Art Groom, wie der Sohn eines Bauern.

Passinkow zeigte sich gegen Jeden sehr zuvorkommend und höflich, ohne zudringlich zu sein. Durch Zurücksetzung fühlte er sich weder gedemüthigt noch gekränkt. Er zog sich stillschweigend zurück und wartete einen anderen Moment ab. So benahm er sich auch gegen mich. Es war ungefähr zwei Monat nach meinem Eintritt in die Schule, als ich ihn an einem schönen Sommertage, wo ich mich nach einem unserer lärmenden Spiele in den Garten begab, unter den breiten Zweigen eines spanischen Flieders auf der Bank sitzen sah; er hielt ein Buch in der Hand und, als ich mich ihm genähert hatte, las ich auf dem Einband desselben: Schiller's Werke. Ich blieb stehen.

„Verstehen Sie Deutsch?“ fragte ich ihn.

Wenn ich jetzt daran denke, mache ich mir noch Vorwürfe über den geringschätzenden Ton, in welchem ich diese Frage an ihn richtete.

Er schlug seine kleinen, ausdrucksvollen Augen zu mir auf und antwortete: „Ja, ich verstehe es, und Sie?“

„Natürlich! erwiderte ich — durch die Frage beleidigt. Ich wollte mich entfernen und doch blieb ich.

„Und was lesen Sie denn in Schiller?“ fragte ich in demselben hochmüthigen Ton weiter.

„Ich las eben ein herrliches Gedicht, welches überschrieben ist: Resignation. Wollen Sie zuhören, so setzen Sie sich auf diese Bank.

Ich zögerte einen Augenblick, dann ließ ich mich nieder.

Passinkow fing an zu lesen. Er verstand die deutsche Sprache viel besser als ich und erklärte mir aufs Verständlichste den Sinn mehrerer Verse.

Aber ich schämte mich nicht mehr meiner Unwissenheit, noch seiner Ueberlegenheit. Von diesem Tage, dieser Stunde an, wo er mir unter den Zweigen des Flieders vorgelesen, liebte ich ihn aufrichtig; ich suchte ihn auf und ordnete mich ihm ganz unter.

Ich erinnere mich noch vollkommen seines damaligen Aussehens, wie es auch späterhin im Allgemeinen dasselbe blieb. Er war groß, hager und etwas linkisch in seinen Bewegungen. Seine schmalen Schultern, seine flache Brust gaben ihm ein kränkliches Aussehen; doch klagte er niemals über seine Gesundheit. Sein starker, runder Kopf neigte sich etwas zur Seite und spärliche, blonde Locken fielen auf seinen Nacken und seinen Hals nieder. Sein Gesicht war, aufrichtig gesagt, nicht schön; es hatte einen fast lächerlichen Charakter durch die aufgedunsene, lange, etwas geröthete Nase, welche sich auf die breiten Lippen herunterbog.

Aber seine Stirn war prächtig und wenn er lächelte, so hatten seine kleinen, grauen Augen einen solchen Ausdruck von Freundlichkeit und einschmeichelnder Güte, daß man ihn nicht ansehen konnte, ohne sich daran zu erfreuen. Ich erinnere mich auch seiner sanften, ruhigen Stimme und einer Art eigenthümlicher Heiserkeit, welche sehr angenehm war. Im Allgemeinen sprach er wenig und mit Anstrengung;

aber war er angeregt, so floß seine Rede frei und seltsamer Weise wurde sie sanfter, sein Blick schien sich in sein Innerstes zurückzuziehen und sein ganzes Antlitz war leicht entflammt. Von seinen Lippen klangen die Worte: Güte, Wahrheit, Leben, Wissen, Liebe, wie begeistert er sie auch aussprach, nie phrasenhaft, sondern machten immer den ihrem Sinne entsprechenden Eindruck. Ohne Anstrengung gelangte er in das Reich des Idealen. Zu jeder Zeit war seine keusche Seele bereit, „vor der heiligen Schönheit zu erscheinen;" sie erwartete nur das Begegnen und die sympathische Annäherung einer anderen Seele.

Passinkow war Romantiker, einer der letzten, denen ich begegnet bin. Heutzutage weiß Jeder, daß sie fast verschwunden sind; man findet sie wenigstens nicht mehr in den Reihen der jetzigen Jugend. Desto schlimmer für diese Jugend.

Ich wohnte gegen drei Jahre mit Passinkow unter einem und demselben Dach; wir waren, wie man zu sagen pflegt, Ein Herz und Eine Seele, und ich wurde der Vertraute seiner ersten Liebe.

Mit welcher dankbaren Aufmerksamkeit, mit welch' lebhaftem Interesse nahm ich seine Geständnisse auf!

Der Gegenstand seiner Leidenschaft war eine Nichte Winterkeller's, eine niedliche Deutsche, blond und rund, mit einem Kindergesicht und zutraulichen blauen Augen. Sie hatte ein gutes, gefühlvolles Herz, liebte die Dichtungen Matthisson's, Uhland's und Schiller's und sagte mit ihrer jungfräulichen, silberhellen Stimme ihre Verse sehr angenehm her. Die Liebe Passinkow's war wesentlich platonisch. Er sah seine schöne Friederike nur Sonntags, (wenn sie kam um mit ihren Cousinen um Pfänder zu spielen), wo sie wenig mit ihm sprach. Eines Abends, als sie zu ihm gesagt hatte: „Lieber, lieber Herr Jakob,“ konnte er die ganze Nacht vor Entzücken nicht schlafen. Das fiel ihm nicht ein, daß das junge Mädchen alle anderen Zöglinge ebenfalls mit „mein lieber“ anredete.

Ich erinnere mich auch seines Schmerzes, seiner Niedergeschlagenheit, als er plötzlich erfuhr, daß Fräulein Friederike einen reichen Eßwaarenkrämer, Namens Kniftus — einen übrigens sehr hübschen und für seinen Stand sehr gebildeten Mann — heirathe, und zwar nicht blos nach dem Willen ihrer Eltern, sondern auch aus eigener Neigung. Wie traurig war nun der arme Passinkow und wie litt er an dem Tage, als das neue Paar unserm Erzieher den ersten Besuch machte.

Friederike stellte ihn, indem sie ihn immer noch ihren lieben Herrn Jakob nannte, ihrem Manne vor, an welchem Alles glänzte: die Augen, die schwarzen frisirten Haare, die Stirn, die Zähne, die Rockknöpfe, die Stickereien und die Weste bis auf die Stiefeln, welche seine breiten Füße bekleideten, die auswärts gekehrt waren, wie die der Tänzer.

Passinkow reichte Herrn Kniftus die Hand und wünschte ihm das vollkommenste, das dauerhafteste Glück. Ich bin überzeugt, daß seine Wünsche aufrichtig waren. Ich wohnte diesem Auftritte bei; ich betrachtete meinen Freund mit einem Gefühl von Mitleid und Bewunderung. In diesem Augenblick kam er mir vor wie ein Held; dann folgten traurige Gespräche zwischen uns.

„Du mußt deinen Trost in der Wissenschaft suchen," sagte ich zu ihm.

„Ja," erwiderte er, „und in der Poesie."

— „Und in der Freundschaft," fügte ich hinzu.

— „Und in der Freundschaft," wiederholte er.

O, die guten Tage von ehedem! . . .

7*

Ich trennte mich von ihm mit schwerem Herzen. Vor meinem Austritt aus der Anstalt erhielt er nicht ohne langes Nachsuchen und zahllose Unterhandlungen seine Zeugnisse und bezog die Universität. Aber er lebte fort bei Herrn Winterkeller, nur hatte man ihm statt seiner plumpen Tracht einen kleidsamen Anzug machen lassen, als Belohnung für den Unterricht, welchen er den jüngern Zöglingen ertheilte.

So lange ich in der Anstalt blieb, änderte Passinkow seine freundschaftlichen Beziehungen zu mir nicht, obgleich zwischen uns eine Altersverschiedenheit war, welche anfing, mir fühlbar zu werden, und ich entsinne mich, daß ich eifersüchtig auf seine neuen Studiengenossen war.

Sein Umgang übte auf mich einen sehr heilsamen Einfluß. Unglücklicher Weise wurde er zu früh abgebrochen. Ich erinnere mich eines der Eindrücke desselben.

In meiner Kindheit hatte ich die schlechte Gewohnheit zu lügen; vor Passinkow würde ich nie eine Unwahrheit über die Lippen gebracht haben. Mein größtes Vergnügen bestand darin, mit ihm allein spazieren zu gehen oder in meinem Zimmer auf und ab zu wandeln, während er, ohne mich anzusehen, mit seiner sanften, wohlklingenden Stimme Verse vorlas. Alsbald schien es mir, als wenn ich mich nach und nach von den irdischen Regionen losrisse und mich aufschwänge zu einer geheimnißvollen Welt in geweihetere Sphären.

Ich erinnere mich noch einer Nacht, wo wir uns unter den Flieder setzten, den wir zum Ort unserer Vorlesungen erkoren hatten. Wir liebten dies trauliche Plätzchen. Alle unsere Kameraden schliefen schon. Wir erhoben uns ganz sachte, nahmen unsere Kleider, im Finstern tappend, und gingen heimlich hinaus, um zu träumen. Draußen wehte eine kühle Luft, welche uns zwang, uns an einander zu schmiegen. Wir schwatzten so lebhaft, daß Einer den Andern jeden Augenblick unterbrach, aber ohne uns zu zanken. Der Himmel war funkelnd, Jakob hob seine Augen auf und, meine Hand drückend, murmelte er die Verse:

„Der Himmel wölbt sich über uns voll Pracht,
„Und hoch im Himmel thront des Schöpfers Macht.“

Ich empfand eine Art religiöser Gemüthsbewegung und stützte mich auf seine Schulter. Das Herz schlug mir vor heftiger Bewegung.

O, Tage der Begeisterung, wo seid ihr?

Wo seid ihr hin, Jahre der Jugend?

Acht Jahre nachher sah ich Passinkow in Petersburg wieder.

Ich wollte in Staatsdienste treten und er hatte eine kleine Stelle in der Kanzlei erlangt. Mit welcher Freude sahen wir uns wieder! Niemals werde ich den Augenblick vergessen, als ich, allein in meiner Wohnung, plötzlich seine Stimme im Vorzimmer vernahm; mit welcher Hast sprang ich auf, mit wie bewegtem Herzen warf ich mich in seine Arme, ohne ihm Zeit zu lassen, Mantel und Shawl abzulegen! Mit welcher Begierde betrachtete ich ihn durch die Freudenthränen, die unwillkürlich meinen Augen entströmten. In diesem Zeitraum von acht Jahren war er etwas gealtert. Leichte Falten, wie die Züge einer Nadelspitze, zeichneten sich auf seiner Stirn, seine Wangen waren eingefallen, seine Haare dünner geworden; aber sein Bart war nicht gewachsen und sein Lächeln war dasselbe geblieben, wie auch sein bezauberndes, innerliches, dem Ohre kaum vernehmbares Lachen.

Gott! was hatten wir uns Alles an diesem

Tage mitzutheilen; wie viel Lieblingsverse uns zu wiederholen! Ich beschwor Jakob, bei mir zu wohnen, indeß er wollte darauf nicht eingehen. Doch versprach er mir jeden Tag zu kommen, und er erfüllte sein Versprechen.

Sein Herz hatte sich nicht geändert; es war dieselbe romantische Natur, welche ich kannte. Der Frost des Lebens, die strenge Kälte der Erfahrung hatte ihn nicht umgewandelt. Die früh im Herzen meines Freundes entfaltete zarte Blüthe hatte sich in ihrer ganzen frischen Schönheit erhalten. Keine Spur von Sorgen und trüben Gedanken zeigte sich auf seinem Antlitz. Er war zurückhaltend wie ehemals, aber die Seele war heiter.

In Petersburg lebte er zurückgezogen, als wäre er in einer Wildniß, sich um die Zukunft nicht kümmernd und beinahe mit Niemandem verkehrend. Ich führte ihn zu Slotnitzky's und er ging mit Vergnügen sehr oft wieder hin; da er nicht eitel war, so war er nicht schüchtern.

In diesem, wie in jedem anderen Hause sprach er wenig, aber er bewahrte dieser Familie eine rührende Zuneigung. Selbst der unzugängliche Alte, der Gemahl Tatiana Wassiljewna's, empfing ihn freundlich und die beiden schweigsamen Mädchen gewöhnten sich rasch an ihn.

Zuweilen brachte er in seiner großen Tasche irgend ein neuerschienenes Buch mit; er zögerte erst lange daraus vorzulesen, und beschränkte sich darauf, von Zeit zu Zeit den Hals zu recken und um sich zu schauen wie ein scheuer Vogel. Endlich setzte er sich in einen Winkel (wo es ihm immer am liebsten war), nahm sein Buch und begann die Lectüre, erst mit gedämpfter Stimme, dann in festerem, lauterem Ton, sich selbst von Zeit zu Zeit durch kurze Anmerkungen oder Ausrufungen unterbrechend. Ich bemerkte, daß bei solchen Gelegenheiten Barbara sich ihm mehr näherte als ihre Schwester, und daß sie ihm mit Aufmerksamkeit zuhörte, obgleich sie wohl nicht verstand, was er las; denn sie hatte wenig Verständniß für Literatur. Ihm gegenüber sitzend, das Kinn auf die Hand gestützt, betrachtete sie ihn aufmerksam, den Blick nicht auf die Augen, sondern auf das ganze Gesicht heftend, und sprach kein Wort; nur stieß sie hin und wieder plötzlich einen Seufzer aus.

Abends, und besonders an Sonn- und Festtagen,

spielten wir Pfänderspiele. Zu uns gesellten sich dann gewöhnlich zwei Verwandte Slotnitzky's, ein paar allerliebste Schwestern mit runden, immerlachenden Gesichtern, und einige andere junge Leute, welche ihre Laufbahn mit dem Titel Kadet oder Kornet begannen und ganz gemüthliche Bürschchen waren. Passinkow hielt sich immer neben Tatiana und überlegte mit ihr, welche Aufgaben man denen zutheile, welche Pfänder einzulösen hatten.

Sophie liebte die Pfänderspiel-Küsse und Zärtlichkeiten nicht, und Barbara konnte nicht leiden, wenn man ihr befahl irgend etwas zu thun oder ein Räthsel zu rathen. Die jungen Cousinen brachen dann in lautes Lachen aus. Woher kam ihnen dieses beständige Lachen? Zuweilen machte es mich ärgerlich, während Passinkow nur kopfschüttelnd dazu lächelte. Der alte Slotnitzky nahm keinen Antheil an unseren Spielen und öfters selbst beobachtete er uns durch die Thüre seines Cabinets mit übellauniger Miene.

Einmal nur überfiel er uns und schlug uns vor, demjenigen, welcher ein Pfand auszulösen habe, aufzugeben, mit ihm zu tanzen. Wir nahmen es an, und es begab sich, daß dieses Pfand Tatianen gehörte. Sie erröthete, lächelte verschämt und sträubte sich, wie ein junges Mädchen von fünfzehn Jahren. Aber der Alte befahl Sophien, sich an's Piano zu setzen, dann, seine Frau unter den Arm nehmend, walzte er mit ihr zweimal nach dem alten Dreivierteltakt herum. Ich sehe noch sein galliges, finsteres Gesicht, welches sich bald uns zukehrte, bald sich wieder abwandte, ohne seinen gewöhnlichen unfreundlichen Ausdruck zu verändern. Er walzte mit großen Schritten, seine Frau hatte Mühe, ihm zu folgen, und als ob sie Furcht hätte, neigte sie ihren Kopf auf seine Brust. Er führte sie wieder auf ihren Platz, grüßte sie, dann ging er zurück in sein Kabinet und schloß sich ein. Sophie wollte aufhören zu spielen, indeß ihre Schwester bat sie, fortzufahren; alsdann Passinkow sich nähernd und ihm mit linkischem Wesen die Hand reichend, sagte sie verlegen lächelnd: „Wollen Sie?" Jakob erhob sich verwundert, verbeugte sich höflich, denn er war sehr höflich, und faßte Barbara um die Taille. Jedoch nach dem ersten Schritt glitt er aus, trennte sich von seiner Tänzerin und stieß an den Untersatz des Papageienkäfigs, den er umwarf. Der erschreckte Vogel erhob ein durchdringendes Geschrei.

Alle brachen in Gelächter aus und Slotnitzky öffnete die Thüre seines Zimmers, beobachtete mit finsterem Blicke was vorging und zog sich dann wieder zurück, die Thüre hinter sich zuschlagend.

Wenn man späterhin Barbara an diesen Vorfall erinnerte, lächelte sie und betrachtete Passinkow mit eigenthümlicher Miene, als ob sie dächte, daß man nichts Klügeres ersinnen könne, als was er gethan.

Jakob liebte sehr die Musik. Oft bat er Sophien, irgend ein Stück zu spielen; dann setzte er sich bei Seite, hörte zu und begleitete zuweilen mit leiser Stimme die Stellen, welche ihm am besten gefielen. Eine der Compositionen, welche ihn am meisten entzückte, war: das Gestirn von Schubert. Er versicherte, daß, wenn er diese Melodie höre, es ihm sei, als ob Strahlen azurnen Lichts mit harmonischen Akkorden vom Himmel in seine Seele fielen. Seit dieser Zeit habe ich jedesmal, wenn ich eine reine, sternhelle Nacht sah, an Schubert und Passinkow gedacht.

Ich erinnere mich noch einer Spazierfahrt, welche wir in die Umgegend der Stadt mit Slotnitzky's machten.

Wir hatten zwei sehr alte viersitzige Miethkutschen

von massiver Bauart genommen: blaue Kasten, runde Stahlfedern, breite Sitze, Heu im Innern. Die abgetriebenen lahmen Pferde brachten uns nur langsam vorwärts. Es war eine Qual sie anzusehen. Wir spazierten lange Zeit unter den Tannenwäldern von Pargolow, wir tranken Milch aus irdenen Krügen und aßen Erdbeeren mit Zucker. Das Wetter war wundervoll; Barbara ging sonst nicht gern; sie wurde immer bald müde. Diesmal aber verließ sie uns nicht. Sie hatte ihren Hut abgenommen, ihre Haare waren aufgelöst, ihre Züge belebt, ihre Wangen geröthet. Wir begegneten in dem Gehölz zwei Bauernmädchen. Sie rief dieselben zu sich, setzte sich auf die Erde und ließ sie freundschaftlich neben sich sitzen. Sophie sah ihr von weitem mit kaltem Lächeln zu und gesellte sich nicht zu ihnen. Sie ging mit Assanow. Der alte Slotnitzky sagte, daß Barbara eine wahre Bruthenne sei. Im Lauf des Tages wanderte sie zuweilen neben Passinkow, und einmal wandte sie sich zu ihm mit den Worten: „Jakob, ich will Ihnen etwas sagen," doch was sie ihm sagen wollte, hat man nicht erfahren. Ich aber muß zu meiner Erzählung zurückkehren.

Das unerwartete Erscheinen meines Freundes hatte mich sehr erfreut. Aber plötzlich überkam mich ein Gefühl der Scham bei der Erinnerung an das, was ich Tags zuvor gethan, und ich kehrte von Neuem den Kopf gegen die Mauer.

Nach einer kleinen Pause fragte mich Passinkow, ob ich leidend sei.

„Nein," erwiderte ich mit wenig überzeugender Stimme, „ich habe nur etwas Kopfweh."

Er nahm ein Buch und setzte sich. Es mochte eine Stunde verflossen sein; ich war entschlossen, Jakob meine Beichte zu machen, als ich plötzlich einen Wagen hörte, welcher vor meiner Thüre hielt. Ich horchte aufmerksam; Assanow fragte meinen Diener, ob ich zu Hause sei.

Jakob erhob sich; er konnte Assanow nicht leiden und sagte mir, daß er sich in ein Nebenzimmer zurückziehen wolle und wieder zu mir kommen werde, sobald mein Besuch mich verlassen.

Assanow trat ein.

An seinem aufgeregten Gesicht, an seinem unfreundlichen Gruß war leicht zu erkennen, daß er nicht gekommen, um mir bloß einen gewöhnlichen Besuch zu machen.

Was wird er beginnen? sagte ich zu mir.

— „Mein Herr," rief er, sich in einen Sessel niederlassend, „ich komme zu Ihnen, damit Sie mich aufklären über einen Zweifel."

— „Und der wäre?"

„Ich wünschte zu wissen, ob sie ein Mann von Ehre sind oder nicht."

— „Was bedeuten diese Worte?" gab ich ihm zornig zurück.

„Was sie bedeuten?" erwiderte er, jedes Wort scharf betonend: „Gestern zeigte ich Ihnen eine Brieftasche, welche mehrere Briefe mit meiner Adresse enthielt. Heute machen Sie, ohne das mindeste Recht dazu, Vorwürfe . . . Hören Sie? Vorwürfe jener Person, welche mir geschrieben, und wiederholen mehrere Stellen aus einem der Briefe. Ich wünsche eine Erklärung über dieses Betragen zu haben."

— „Und ich," erwiderte ich ihm, vor Zorn bebend und zugleich mit Schamgefühl, „ich wünschte zu wissen, mit welchem Recht Sie mich fragen? Es hat Ihnen gefallen, uns die Wichtigkeit Ihres Onkels zu rüh=

men und uns Ihre Correspondenzen zu offenbaren. Ist das meine Schuld? Keiner Ihrer Briefe ist Ihnen entrissen worden."

„Nein, das ist wahr, ich habe sie alle. Indessen war ich gestern in einem solchen Zustande, daß Sie wohl hätten können . . ."

„Mein Herr," erwiderte ich mit erhobener Stimme, „ich habe Ihnen nichts weiter mehr zu sagen, als daß ich Sie bitte, mich in Ruhe zu lassen. Hören Sie? Ich will nichts von Ihren Angelegenheiten wissen und habe Ihnen keine Erklärung zu geben. Verlangen Sie dieselbe von der, welche Ihnen geschrieben."

Ich fühlte in diesem Augenblick, daß mein armer Kopf anfing zu wirbeln.

Assanow heftete auf mich einen Blick, dem er versuchte einen sardonischen Ausdruck zu geben; dann erhob er sich, seinen Schnurbart drehend und sagte:

„Ich weiß jetzt, was ich zu denken habe, ich lese in Ihren Augen Alles, was vorgegangen. Allein ich muß Ihnen bemerken, daß Leute von Ehre sich nicht so benehmen . . . Einen Brief heimlich lesen und dann Unruhe in das Haus eines jungen Mädchens werfen . . ."

— „Gehen Sie zum Teufel," rief ich, mit dem Fuße auf die Erde stampfend, . . . „und suchen Sie Sich einen Sekundanten; ich will mit Ihnen keine Unterredung mehr haben!"

— „Sie werden mich nicht lehren, was ich thun soll," erwiderte kalt Assanow. „Ich hatte schon selbst beschlossen, Ihnen eine Herausforderung zu schicken."

Er ging und ich sank zurück auf das Sopha, mein Gesicht mit den Händen bedeckend.

Ich fühlte mich auf die Schulter geklopft, vor mir stand Passinkow.

„Was hast Du gemacht?" fragte er mich, „sage mir die Wahrheit; hast Du wirklich einen fremden Brief gelesen?"

Ich hatte nicht die Kraft, ihm zu antworten: aber ich machte ihm ein bejahendes Zeichen. Passinkow näherte sich dem Fenster; dann mir den Rücken zukehrend, hub er langsam an:

„Du hast den Brief eines jungen Mädchens an Assanow gelesen? Wer war dieses junge Mädchen?

— „Sophie Slotnitzky," erwiderte ich ihm, wie ein Schuldiger vor seinem Richter.

Nach einer Pause des Schweigens fuhr Jakob fort:

„Nur die Leidenschaft kann Dich einigermaßen entschuldigen. Bist Du verliebt in Sophie?“

— „Ja.“

Jakob schwieg von Neuem. Dann sagte er:

„Ich ahnte es. Und heute hast Du ihr Vorwürfe gemacht?“

— „Ja, ja!“ rief ich im Tone der Verzweiflung; „und heute verachtest Du mich!“

Er ging zweimal im Zimmer herum, dann kam er auf mich zu.

„Sie liebt ihn?“ murmelte er.

„Sie liebt ihn!“

Er blickte einen Augenblick zu Boden, dann sagte er:

„Wir müssen dieser Sache abhelfen. Es muß durchaus geschehen;“ und er nahm seinen Hut.

„Wo willst Du hin?“

„Zu Assanow.“

„Ich kann es Dir nicht erlauben,“ rief ich, vom Divan aufspringend, „ist's möglich, — was wird er denken?“

„Nun,“ erwiderte Jakob, mich scharf ansehend, „ist's besser, in Folge des Fehlers, den Du began=

gen, Dich zu verderben, und dieses junge Mädchen zu beschimpfen?"

„Was wirst Du Assanow sagen?"

„Ich werde mich bemühen ihn zu besänftigen. Ich werde ihm erklären, daß Du ihm Abbitte thust."

„Ich will ihn nicht um Verzeihung bitten!"

„Wie so? Bist Du nicht schuldig?"

Ich betrachtete meinen Freund. Sein ruhiges, aber ernstes und finsteres Gesicht fiel mir auf; niemals hatte ich an ihm einen solchen Ausdruck gesehen. Ich antwortete nichts und setzte mich wieder auf meinen Divan.

Er ging.

Mit welcher Herzensangst erwartete ich seine Rückkehr! mit welch' tödtlicher Langsamkeit schlichen die Minuten hin! Endlich erschien er.

„Nun?" rief ich mit furchtsamer Stimme.

— „Gott sei Dank, es ist beendigt!"

— „Du hast Assanow gesehen?"

— „Ja."

— „Was hat er gesagt? Blieb er unbeweglich?"

— „Nein . . . ich hatte mir die Sache anders

erwartet und ich muß bekennen, er ist kein so gewöhnlicher Mensch, wie ich vermuthete."

„Und nachdem Du ihn gesehen," fuhr ich fort, „wo bist Du dann gewesen?"

— „Ich war bei Slotnitzky's."

— „Ach!"

Ich fühlte mein Herz heftig schlagen und wagte nicht, Passinkow anzusehen. „Und Du sahst sie?"

„Ja, ich habe Sophie gesehen! Ein gutes, vortreffliches Mädchen. Sie war erst sehr verstört, dann beruhigte sie sich. Im Uebrigen habe ich sie nicht länger als fünf Minuten gesprochen."

„Und Du hast ihr Alles, Alles gesagt?"

„Ich habe ihr gesagt, was nothwendig war."

„Nun werde ich nicht mehr wagen, mich vor ihr zu zeigen."

„Warum denn? Im Gegentheil; Du mußt wieder in dies Haus gehen, wär' es auch nur, um nicht errathen zu lassen . . ."

„Ach, mein Freund!" rief ich aus, die Thränen unterdrückend, „nun wirst Du mich verachten!"

„Ich Dich verachten?" sagte er, mit einem von Zärtlichkeit strahlenden Blicke; „ich Dich verachten?

8*

Thor der Du bist! Bist Du bei Sinnen? leidest Du denn nicht?"

Er reichte mir die Hand. Ich warf mich ihm schluchzend in die Arme.

Einige Tage vergingen, während welchen mir Jakob sehr unruhig erschien. Ich war endlich entschlossen, wieder zu Slotnitzky's zu gehen. Ich kann nicht sagen, mit welcher Bewegung ich in den Salon eintrat. Doch weiß ich noch sehr wohl, wie ich kaum die Personen, welche sich darin befanden, unterscheiden konnte, und daß die Stimme mir in der Kehle erstickte. Sophien war's nicht besser zu Muthe; sie strengte sich sichtbar an, mit mir zu plaudern, aber unsere Augen mieden sich gegenseitig und jede ihrer Bewegungen verrieth den Zwang, welchen sie sich auferlegte, um mir, ich muß es sagen . . . ein geheimes Gefühl des Widerwillens zu verbergen.

Ich bemühte mich, sie auf's Rascheste davon zu befreien und mich selbst aus dieser peinlichen Lage zu reißen. Zum Glück war dieses unsere letzte Begegnung vor ihrer Verheirathung. Ein plötzlicher Umschwung meines Schicksals trieb mich an die fernste

Grenze Rußlands. Ich sagte der Familie Slotnitzky, Petersburg und, was mir am schmerzlichsten war, meinem theuren Passinkow für lange Lebewohl.

II.

Sieben Jahre waren seit der oben erwähnten Trennung vergangen. Es ist unnütz zu erzählen, was mir Alles in diesem Zeitraum begegnete. Ich durchirrte die entlegensten Provinzen des Kaiserreichs und, dem Himmel sei Dank, ich erkannte, daß diese Regionen nicht so wild sind, wie gewisse Leute sie sich vorstellen. In den entferntesten Distrikten, unter Windbrüchen in der Tiefe der Wälder fand ich mehr als eine wohlriechende Blume.

An einem Frühlingstage riefen mich meine Geschäfte in eine kleine Stadt eines der Gouvernements des östlichen Rußland. Indem ich durch den Ort fuhr, bemerkte ich durch die trüben Schriben meines Wagens auf dem Marktplatze, vor einem Laden einen Mann, der mir wohl bekannt schien. Ich beobachtete ihn genauer und sah, daß es Jélisséi, der Bediente Jakobs, war. Ich ließ sogleich anhalten, sprang aus dem Wagen und ging auf ihn zu.

„Guten Tag," sagte ich mit einer Rührung, welche ich kaum zu unterdrücken vermochte. „Bist Du hier mit Deinem Herrn?"

— „Ja, mit meinem Herrn," erwiderte er gedehnt; dann rief er plötzlich: „Ah, Sie sind es, Väterchen, ich erkannte Sie nicht."

— „Bist Du hier mit Jakob Passinkow?"

„Natürlich . . . mit wem anders könnte ich mich hier befinden!"

— „Bring' mich zu ihm."

— „Mit Vergnügen. Gehen wir hier durch... Wir sind in einem Wirthshause... Ach! wie glücklich wird mein Herr sein, Sie wieder zu sehen!"

Indem er so sprach, führte mich Jélisséi den Ort entlang. Er war von Abkunft ein Kalmück, ohne jede Erziehung und etwas wild, aber mit einem vortrefflichen Herzen und Passinkow, dem er seit zehn Jahren diente, mit Leib und Seele ergeben.

„Wie geht's mit Jakob Iwànitsch," fragte ich.

Jélisséi wandte sein olivenfarbnes Gesicht mir zu.

„Ach," erwiderte er, „schlecht, Väterchen, schlecht... Sie würden ihn nicht wieder erkennen . . . Mir scheint, als wäre seines Bleibens nicht lange mehr in dieser Welt. Wir waren genöthigt, hier anzuhalten, und wir gehen nach Odessa, ein letztes Mittel zu versuchen."

— „Wo kommt Ihr denn her?"

— „Von Sibirien."

— „Von Sibirien? War er dort angestellt?"

— „Ja, Väterchen. Mein Herr hatte dort ein Amt und ist dort verwundet worden."

— „Wie so? War er denn in Militärdienst getreten?"

— „Nein, in Civildienst."

Wie seltsam, sagte ich zu mir. Unterdeß waren wir beim Wirthshause angekommen. Jélisséi lief eiligst hinauf, mich anzumelden. Während der ersten Zeit unserer Trennung hatten wir, Jakob und ich, uns häufig geschrieben, dann war unsere Correspondenz unterbrochen worden. Ich hatte seit vier Jahren keinen Brief von ihm erhalten und wußte nicht, was inzwischen aus ihm geworden war.

„Kommen Sie, kommen Sie!" rief Jélisséi oben auf der Treppe, „mein Herr wünscht lebhaft, Sie zu sehen."

Ich stieg über die schwankenden Stufen und trat in das kleine düstere Gemach, dessen Anblick mir das

Herz zerriß. Auf einem schmalen Ruhebett, eingewickelt in seinen Mantel, lag mein Freund, blaß wie der Tod, schwach und abgezehrt. Er reichte mir seine magere Hand. Ich küßte ihn mit krankhaftem Entzücken.

„Jakob! Jakob!“ rief ich, „was fehlt Dir?“

— „Nichts,“ erwiderte er mir mit schwacher Stimme.

„Aber Du, durch welchen Zufall bist Du hier?“

Ich setzte mich neben sein Bett und seine Hand in der meinigen haltend, betrachtete ich aufmerksam sein Gesicht. Ich fand die mir so theuren Züge wieder. Der Ausdruck seines Auges, seines Lächelns war derselbe, wie sehr ihn auch sonst seine Krankheit verändert hatte.

Er bemerkte den Eindruck, welchen sein Aussehen auf mich machte.

„Es sind drei Tage, sagte er zu mir, daß ich mich nicht rasirt habe und meine Haare sind in Unordnung. Aber ich . . . nein, ich habe nichts.“

„Erkläre mir, ich beschwöre Dich, was mir Jélisséi berichtet hat. Bist Du verwundet worden?“

— „Ja, es ist eine ganze Geschichte, ich werde sie Dir später erzählen. Ich wurde in der That verwundet und Du erräthst niemals, wie . . . durch einen Pfeil . . ."

„Durch einen Pfeil? . . ."

— „Ja, nicht durch den mythologischen Liebespfeil, sondern von einem aus leichtem Holz geformten und mit einem spitzigen Eisen versehenen Pfeil. Es ist sehr unangenehm, von einem solchen Geschoß erreicht zu werden, besonders wenn es die Lunge trifft."

„Wie aber ist denn das zugegangen?"

„Ich will es Dir sagen. Du weißt, daß in meinem Schicksal Alles einen wunderlichen Charakter haben soll. Erinnere Dich nur der komischen Correspondenzen, welche ich führen mußte, um zu den Papieren zu gelangen, welche ich nöthig hatte, als ich die Universität bezog: meine Verwundung ist eine eben so wunderliche Sache. Welchem gebildeten Menschen ist es in der Zeit, in welcher wir leben, begegnet, von einem Pfeil getroffen zu werden? und nicht spielend, sondern im wirklichen Kampfe?"

— „Erzähle mir doch den Hergang."

„Es sei. Du erinnerst Dich doch, daß ich kurze Zeit nach Deiner Abreise von Petersburg nach Nowgorod versetzt wurde. Dort, ich gestehe es, lebte ich ein sehr langweiliges Leben, obgleich ich ein Wesen fand ... Aber sprechen wir nicht jetzt davon," fügte er seufzend hinzu. „Zwei Jahre nachher gab man mir ein hübsches Amt, etwas entfernt, allerdings, in dem Gouvernement von Irkutsk. Ich war gleich meinem Vater dazu bestimmt, Sibirien zu besuchen, ich beklage mich nicht darüber. Es ist ein herrliches Land, dies Sibirien! Die Einwohner sind wohlhabend, frei und gesellig, wie Jeder Dir sagen wird, der das Land kennt. Es gefiel mir dort sehr wohl. Ich war damit beauftragt, die Eingebornen, im Ganzen friedliche Leute, zu überwachen. Unglücklicher Weise thaten sich zehn, nicht mehr, von ihnen zusammen, um Schleichhandel zu treiben. Ich sollte sie festnehmen, und es gelang mir auch; nur einer von ihnen versuchte, sich zu vertheidigen und schoß auf mich einen Pfeil ab. Ich war dem Tode nahe, doch erholte ich mich wieder. Jetzt will ich versuchen, mich gänzlich zu heilen. Dem Himmel sei Dank, die Regierung hat mir das nöthige Geld dazu gegeben."

Nach diesen Worten schwieg Passinkow und ließ erschöpft seinen Kopf auf das Kissen zurücksinken.

Eine leichte Röthe übergoß seine Wangen und seine Augen waren geschlossen.

— „Er darf nicht viel sprechen,“ sagte Jélisséi, welcher eben in das Zimmer trat, zu mir mit leiser Stimme.

Tiefe Stille herrschte um uns. Ich hörte nichts, als das schwere Athmen des Kranken. Er öffnete die Augen wieder und nahm von Neuem das Wort:

„Jetzt sind es bereits vierzehn Tage, daß ich in diesem Städtchen liege. Wahrscheinlich hab' ich mich erkältet; der Kreisarzt behandelt mich; Du wirst ihn sehen; er scheint sein Geschäft zu verstehen. Schließlich freue ich mich dieses Unfalls noch, dem ich das Glück, Dir zu begegnen, verdanke.“

Dies sagend streckte er mir die Hand entgegen. Diese Hand, einen Augenblick früher kalt wie Eis, war jetzt glühend.

„Nun,“ fügte er hinzu, indem er seine Decke entfernte, „erzähle mir von Dir. Gott weiß, wie lange Zeit darüber verflossen, daß wir uns nicht gesehen haben.“

Ich beeilte mich, ihm die gewünschte Auskunft zu geben, um ihn selbst am Sprechen zu hindern. Er hörte mir erst mit lebhafter Aufmerksamkeit zu, dann verlangte er zu trinken und von Neuem auf das Kissen zurücksinkend schloß er die Augen. Ich bat ihn auszuruhen, indem ich ihm versicherte, daß ich ihn nicht verlassen würde, ehe er besser sei, und daß ich ein Zimmer neben dem seinigen nehmen wolle.

„Es ist eine traurige Wohnung, diese hier," sagte er; aber ich schloß ihm den Mund und ging auf den Zehen hinaus.

Jélisséi folgte mir.

„Aber er stirbt," sagte ich dem treuen Diener; „siehst Du denn nicht, daß er stirbt?"

Jélisséi machte eine Handbewegung und wandte mit trauriger Miene den Kopf.

Nachdem ich meinen Kutscher zurückgeschickt und mir ein Zimmer hatte geben lassen, ging ich, um nachzusehen, ob Passinkow schlief. An seiner Thür begegnete ich einem hochgewachsenen Manne von ungeheuerem Umfang, dessen aufgedunsenes, blatternarbiges Gesicht die tiefste Gleichgültigkeit ausdrückte. Seine Augen waren geschwollen und seine Lippen glänzten von Schläfrigkeit.

„Darf ich Sie fragen," fragte ich, „ob Sie der Arzt meines Freundes sind?"

Der dicke Mann sah mich an und bemühte sich seine Augenlider aufzusperren.

„Ja," antwortete er endlich.

„Herr Doktor, wollten Sie nicht die Güte haben, in mein Zimmer einzutreten? Ich glaube, daß Jakob Iwanitsch eingeschlafen ist und ich möchte gern wissen, was ich von seiner Krankheit, welche mich sehr beunruhigt, halten soll."

— „Sehr gern," antwortete er, hinter mir herschreitend, mit einer Miene, als ob er sagen wollte: Du scheinst ein sehr redseliger Herr zu sein. Mit mir bedarf es so vieler Worte und Umstände nicht.

— „Sprechen Sie offen zu mir!" sagte ich, als er sich gesetzt hatte, „ist der Zustand meines Freundes sehr bedenklich?"

— „Ja," antwortete er ruhig.

— „Sehr gefährlich?"

— „Ja, gefährlich!"

— „So, daß er davon sterben kann?"

— „Es ist möglich."

In diesem Augenblick betrachtete ich meinen Redner mit einem Anflug von Haß.

„Aber," erwiderte ich, „so wäre es doch nöthig,

auf Mittel der Rettung zu sinnen . . . eine ärztliche Berathung zu halten . . . Was denken Sie davon?"

— „Man kann berathen . . . warum nicht? Man kann Iwan Jephremitsch rufen."

Der Doktor sprach schwerfällig, jeden Augenblick schöpfte er Athem, sein Magen bewegte sich sichtbar wenn er sprach, und er schien alle Worte aus der Tiefe seiner Brust zu ziehen.

„Wer ist dieser Iwan Jephremitsch?"

„Der Stadtarzt."

„Und wenn man nun einen Arzt aus der Hauptstadt des Gouvernements holen ließe, was sagen Sie dazu? sind dort gute Aerzte zu haben?"

— „Es ist möglich."

— „Und welcher ist der beste?"

— „Der Beste? Ich weiß nicht. Es war dort ein Doktor Kohlrabus; allein ich hörte, daß man ihn, ich weiß nicht wohin, versetzt habe. Uebrigens ist es nicht nöthig ihn holen zu lassen."

— „Und warum?"

— „Der Arzt der Hauptstadt würde Ihrem Freunde nichts mehr helfen können."

— „Ist er denn so schlecht?"

— „Eine Wunde . . . die angegriffene Lunge . . . eine Erkältung . . . dann das Fieber und das Uebrige; keine Hilfsquelle mehr in der ganzen Verfassung — was soll man da thun? Sie wissen ja selbst . . ."

Wir blieben eine Weile uns stumm gegenüber, der schwerfällige Arzt nahm wieder das Wort und sagte, mir einen Seitenblick zuwerfend:

„Wenn man es mit der Homöopathie versuchte?"

„Wie so? Sie sind ja Allopath!"

„Was schadet's? Sie denken vielleicht, ich verstände nichts von der Homöopathie? Ich kenne sie aber eben so gut, wie ein Anderer. Es ist hier ein Apotheker, welcher sich damit beschäftigt, die Leute mit Homöopathie zu kuriren, ohne Arzt zu sein. Ich bin wirklich geprüfter Arzt."

„Das sind schlechte Aussichten," sagte ich zu mir selbst.

„Nein," fuhr ich dann laut fort, „es ist besser, sich an die gewöhnliche Methode zu halten."

„Wie es Ihnen recht ist."

Er erhob sich stöhnend.

„Sie gehen zu ihm?"

„Ja, ich muß einmal nach ihm sehen."

Er ging hinaus.

Ich ebenfalls. Aber diesen Mann am Lager meines Freundes zu sehen, war mir unmöglich. Ich rief meinen Diener, befahl ihm, sofort in die Hauptstadt des Gouvernements zu eilen, nach dem besten Arzt zu fragen und ihn auf's Rascheste herzubringen. Ich hörte auf dem Vorplatze gehen und öffnete meine Thür. Es war der Arzt, welcher aus dem Zimmer Passinkow's kam.

„Nun, wie steht's?" fragte ich mit leiser Stimme.

„Nichts Neues. Ich habe eine Mixtur verordnet."

„Ich bin entschlossen, nach einem Arzt in der Stadt zu schicken, ich zweifle zwar nicht an Ihrem Wissen, aber Sie kennen das Sprichwort: Ein geschickter Mann ist gut, zwei sind besser."

„Sie haben wohl daran gethan," antwortete er, indem er die Treppe hinunterstieg. Augenscheinlich langweilte ich ihn. Ich kehrte zurück zu Jakob.

„Du sahst meinen Aesculap?" fragte er.

„Ja."

„Was mir an ihm gefällt, ist seine merkwürdige Ruhe. Das Phlegma behagt an einem Arzt, nicht wahr? Das stärkt den Kranken."

Ich antwortete ihm nichts; ich wollte ihm sein Vertrauen nicht nehmen.

Am Abend befand sich, wider mein Erwarten, Jakob besser. Er befahl Jélisséi den Samovar herzurichten, lud mich ein, Thee zu trinken, trank selbst eine kleine Tasse davon und wurde heiter. Indeß ich sollte ihn am Sprechen verhindern und fragte ihn, ob er wünsche, daß ich ihm etwas vorlese.

„Wie früher in dem Winterkeller'schen Pensionat," erwiderte er mir. „Ja, mit Vergnügen, aber was willst Du lesen? Siehe, da an dem Fenster sind Bücher."

Ich nahm das erste Buch, welches mir in die Hand fiel.

„Was ist's?" fragte er mich.

„Lermontow's Gedichte."

„Ach, Lermontow, ein vortrefflicher Dichter! Steht er auch nicht so hoch wie Puschkin, von dem wir uns so vieler wundervoller Verse erinnern, so liebe ich Lermontow dennoch; öffne sein Buch nach Zufall und lies die erste Seite, welche sich deinem Auge bietet."

Ich gehorchte und fühlte mich verlegen. Mein Finger ruhte auf einem Gedicht, welches den Titel: „Das Testament“ führte; ich wollte ein anderes suchen; Jakob bemerkte die Bewegung und sagte: „Nein, nein, gehe nicht weiter; lies, was Du zufällig gefunden.“ Was war zu thun? Ich mußte mich fügen und las „Das Testament“:

Ich wollte leben in der Welt,
Bruder, mit Dir allein,
Doch wird noch — sagt man — in der Welt
Nur kurz mein Leben sein!
Treibt bald nach Haus Dich Dein Geschick,
Liegt schon mein Leib in Trümmern,
So sieh . . . doch glaub' ich, mein Geschick
Wird Wenige bekümmern.

Wenn aber Jemand — wer's auch sei! —
Verlangt von mir nach Kunde,
Sag ihm, mich traf ein tödtlich Blei,
Daß an der schweren Wunde
Ich starb für meinen Zaren,
Was sehr den Tod versüße, —
Daß schlecht die Aerzte waren
Und ich die Heimat grüße.

Die Eltern sind wohl lange schon
In's feuchte Grab gesenkt,
In Reue fühlt der ferne Sohn,
Wie oft er sie gekränkt;

Doch triffst Du sie im Leben gar
Noch an auf Deinem Wege,
So sprich: Wohl oft zum Schreiben war
Der ferne Sohn zu träge.

Bald war er träg', bald mußt' er auch
Hinweg mit den Standarten —
Es war beim Heere niemals Brauch,
Auf euren Sohn zu warten, —
Doch hat er oft wohl in der Schlacht,
Im Kampfgewühl und Feuer
Der fernen Eltern treu gedacht,
Er hielt sie lieb und theuer!

Sie hatten eine Nachbarin,
Du denkst wohl ihrer noch —
Und kommt's ihr auch nicht in den Sinn,
Nach mir zu fragen — doch
Sag' Alles, was Du weißt von mir,
Gesteh' ihr's frei und ehrlich —
Entlockt es auch viel Thränen ihr ...
Es ist nicht sehr gefährlich.

„Es ist entzückend," sagte er zu mir, als ich zu Ende war. „Aber wie seltsam, daß Du gerade auf dieses Gedicht verfielst! Ist es in der That nicht sehr seltsam?"

Ich fing an, andere Verse zu lesen, Jakob hörte mir nicht zu. Sein Blick war von mir abgewendet und er wiederholte: „Das ist sehr seltsam." Ich schloß das Buch.

9*

„Sie hatten eine Nachbarin," murmelte er, und plötzlich fuhr er laut fort, sich nach mir umwendend ... „Hör', Freund, erinnerst Du Dich an Sophie Slotnitzky?"

Ich erröthete und erwiderte: „Wie sollte ich mich ihrer nicht erinnern?"

„Sie ist verheirathet?"

„Ja schon lange, mit Assanow. Ich schrieb Dir in meinen Briefen davon."

„Ja, ja, der Vater hat am Ende verziehen."

„Er verzieh ihr, aber Assanow hat er nicht bei sich sehen wollen."

„Halsstarriger Alter! Was sagt man denn von ihnen? Leben sie glücklich zusammen?"

„Ich weiß wirklich nicht; nur vernahm ich, daß sie in einem Dorfe des Gouvernements . . . wohne. Ich bin nahe daran vorbeigekommen und habe nicht angehalten."

„Hat sie Kinder?"

„Ich glaube, ja . . . Passinkow!"

Er sah mich an.

„Gestehe nur, Du hast ihr damals gesagt, daß ich sie liebe?"

„Ja, ich habe ihr Alles gesagt, die ganze Wahrheit. Es würde unrecht gewesen sein, ihr Dein Geheimniß zu verbergen.“ Nach einer kleinen Pause fuhr er fort: „Ist Deine Liebe zu ihr schnell verflackert?“

„Nein, nicht schnell verflackert; aber ich habe aufgehört, sie zu lieben; warum eine Liebe ohne Hoffnung nähren?“

„Und ich,“ murmelte er mit zitternder Stimme, das Gesicht wegwendend, „ich, mein Freund, habe es nicht wie Du gemacht. Ich habe nicht aufgehört sie zu lieben.“

„Wie,“ rief ich mit unbeschreiblicher Ueberraschung, „Du hast sie geliebt?“

„Ich habe sie geliebt,“ sagte er, sein Gesicht mit den Händen bedeckend; „Gott allein weiß, wie ich sie liebte. Ich habe davon Niemanden in der Welt gesagt . . . ich konnte es keinem lebenden Wesen gestehen . . . Doch,“ fügte er hinzu, indem er Lermontow citirte, „doch — sagt man — wird noch in der Welt nur kurz mein Leben sein.“

Ich war betroffen von diesem unerwarteten Geständniß; „wie ist es möglich — dachte ich —

daß niemals eine Vermuthung davon in mir aufstieg?"

„Ja," begann er von Neuem, als spräche er mit sich selbst, „ich habe sie geliebt; ich konnte selbst dann nicht aufhören, sie zu lieben, als ich erfuhr, daß ihr Herz Assanow gehöre. Doch, welcher Kummer, als ich diese Entdeckung machte! Hätte sich ihre Neigung Dir zugewendet, so würde ich mich wenigstens für Dich darüber gefreut haben. Aber Assanow . . . wie konnte er ihr gefallen? Ich verstehe nichts davon, aber einmal eingenommen von ihm, konnte sie nicht zurückgehen. Edle Seelen verändern sich nicht."

Mir fiel Assanow's Besuch nach unserm unangenehmen Mittagessen ein und die Angelegenheit, in welche der arme Passinkow verwickelt wurde, und ich rief: „Du wußtest Alles und wolltest doch selbst zu ihr gehen."

„Ja," erwiderte er, und diese Aufklärung werde ich niemals vergessen. Damals begriff ich zum ersten Mal vollkommen die Bedeutung des großen Wortes: „Resignation." Ich war ergeben, aber Sophie blieb mein Traum, mein Ideal... Unglücklich, wer ohne Ideal leben kann!"

In diesem Augenblicke richtete Passinkow seine Blicke nach oben und seine Augen leuchteten fieberhaft. „Ich liebte sie,“ fuhr er fort, „ich liebte diese ruhige, rechtschaffene, unzugängliche, unbeugsame Seele, ich liebte sie so, daß, als sie abreiste, es mir schien, ich müßte den Verstand darüber verlieren. Seit dieser Zeit ist keine andere Liebe in mein Herz gekommen...“

Bei diesen Worten verbarg er das Haupt in seinem Kissen und weinte.

Ich näherte mich ihm und versuchte ihn zu trösten.

„Es ist nichts,“ erwiderte er, sich aufrichtend und seine Haare schüttelnd, „... etwas Schmerz... etwas Bitterkeit. Aber es ist nichts; die Verse, welche Du gelesen, haben diesen Eindruck hervorgebracht. Lies mir etwas Heiteres.“

Ich nahm Lermontow wieder und blätterte darin; aber ich verfiel immer wieder auf Dinge, welche meinen Freund von Neuem aufregen konnten. Endlich wählte ich das Gedicht: „Die Gaben des Terek.“

Schäumt der Terek zwischen steilen
Felsen, wild, in Zornesglühn;
Seine Klagen — Sturmesheulen,
Seine Thränen — Funkensprühn.

Aber stiller zu den Füßen
Des Gebirgs, die Steppe her
Fließt er, und mit Schmeichelgrüßen
Murmelt er zum Kaspimeer:

„Meeresgreis, thu meinen Wogen
Gastlich Deine Pforten auf!
Weiten Wegs komm ich gezogen,
Suche Ruh nach langem Lauf.
Bin ein Sproß kasbék'schen Thrones,
Großgesäugt an Wolkenbrust,
Ewig gen des Erdensohnes
Fremde Macht voll Kampfeslust.

Brach bei Darijel viel Steine
Aus der engen Bergschlucht los,
Schwemmte sie, zum Spiel für Deine
Kinder, her in meinem Schoß."

Doch das Meer, am Ufer dorten
Lohnt es wie in Schlafesruh, —
Und auf's Neu', mit Schmeichelworten
Flüstert ihm der Terek zu:

„Sieh, ein Weihgeschenk Dir reiche
Ich, deß Blut im Kampfe floß:
Eines jungen Kriegers Leiche,
Der Kabarda Heldensproß!

„Kostbar ist sein Stahlgeschmeide,
Und in goldner Schrift daran
Zieren rings den Saum vom Kleide
Heil'ge Sprüche des Koran.

Zuckten wild die Augenlider,
Krampfhaft sich die Lippe schloß,
Und von seinem Schnurrbart nieder
Dick und roth ein Blutstrom floß.
Klar sein Auge, doch gefährlich,
Alter, tiefer Feindschaft voll.
Von dem Kopf zum Nacken, spärlich,
Schwarzen Haars ein Büschel quoll."

Doch in seinen Ufern schweigend
Liegt das Meer in kalter Ruh —
Und auf's Neu' sich zu ihm neigend,
Flüstert ihm der Terek zu:

„Meeresgreis, noch eine Gabe
Biet' ich Dir, von seltner Art!
Drum vor allen andern habe
Ich zuletzt sie aufbewahrt.
Einer Bergkosakin Leiche,
Jung, voll Schönheit wunderbar:
Um die Schulter her, die bleiche,
Fließt das lange, blonde Haar.
Wie so trüb die Züge scheinen,
Wie so sanft das Auge ruht!
Von der Brust, aus einer kleinen
Wunde, quillt das rothe Blut.
Und von den Kosakensöhnen
Im Grebén'schen Reiterheer,
Um den Tod der jungen Schönen
Klagt selbst nicht der Eine mehr."

„Hat sich auf sein Roß geschwungen,
Ritt hinaus durch Nacht und Graus,
Haucht' im Kampf, vom Dolch durchdrungen
Des Tschetschén, sein Leben aus."

Und es schwieg der Strom, der wilde,
Aber schneeweiß angehaucht,
Feucht, ein wundersam Gebilde
Aus den dunklen Fluten taucht.

Bei dem Blick, gleich Ungewittern
Hebt das Meer die mächt'ge Flut,
Dunkelblaue Augen zittern
In der Leidenschaften Glut.

Rauschend hoch vor Lust und Liebe
Breitet es die Arme aus,
Nimmt den Strom im Wellgetriebe
Gastlich auf in seinem Haus.

„Rhetorische Emphase!" sagte Jakob im Schulmeistertone; „indeß hat es auch sehr schöne Stellen. Ich habe mich, seitdem ich Dich verlassen, auch etwas in der Dichtkunst versucht und habe ein Gedicht: „Der Kelch des Lebens" begonnen, aber es ist mir nicht gelungen. Unsere Aufgabe ist, mitzuempfinden, — aber nicht zu schaffen . . . Indeß ich bin nun erschöpft und muß ein wenig schlafen; was sagst Du dazu? welche Wohlthat ist der Schlaf, der Traum!

Das ganze Leben ist ein Traum; das Beste, was es in sich schließt, ist ebenfalls ein Traum. —

— „Und die Poesie?"

„Ist auch ein Traum, aber ein paradiesischer."

Passinkow schloß die Augen.

Ich blieb eine Weile an seinem Lager. Sein Athem war regelmäßiger und ruhiger. Ich schlich auf den Zehen hinaus, ging in mein Zimmer und legte mich auf das Sopha. Lange dachte ich an das, was mir Jakob gesagt, ich rief mir die Vergangenheit in's Gedächtniß zurück, dann schlief ich endlich ein.

Es zog mich Jemand am Arm; ich erhob mich. Vor mir stand Jélisséi.

„Kommen Sie zu meinem Herrn, ich bitte Sie!" sagte er.

„Was ist ihm?"

„Er ist im Delirium."

— „Im Delirium? Ist ihm das schon einmal begegnet?"

— „Ja, in der letzten Nacht: aber dies Mal ist es auffallender."

Ich trat in Jakob's Zimmer. Er lag nicht, sondern saß im Bette, den Körper nach vorne gebeugt, die Blicke von einer Seite zur andern irrend, die Arme auseinanderbewegend. Er lächelte und redete mit schwacher Stimme und undeutlich, dem Rauschen des Röhrichts gleich. Eine Nachtlampe, auf dem Boden stehend und verdeckt durch ein Buch, warf an die Decke einen unbeweglichen Schimmer. Jakobs Gesicht schien in diesem Halbdunkel noch bleicher zu sein. Ich näherte mich ihm, ich rief ihn: er antwortete mir nicht. Ich horchte, was er sagte. Er träumte von sibirischen Wäldern und lächelte öfters im Traum.

„Welche Wälder" — sagte er — „so groß, so majestätisch . . . und das Eis und der Schnee. Auf dem Schnee zarte Fußspuren, bald solche von Hasen, bald von Hermelin . . . Nein, es ist mein Vater, welcher da mit meinen Papieren gegangen ist. Da ist er . . . da ist er . . . Ich muß gehen . . . Der Mond leuchtet . . . ich muß gehen, um meine Papiere zu suchen . . . Und die Blume, die kleine, rothe Blume . . . da ist Sophie . . . die Glöckchen klingen . . . das Eis kracht unter den Füßen der Pferde. Ach nein, es sind die dummen Dompfaffen, welche hüpfen und pfeifen unter den Zweigen der Bäume. Es ist kalt. Ach! da ist Assanow . . . ein Geschütz von Erz, eine grüne Lafette . . . das ist's, was ihm so gefallen hat . . . die Sternschnuppe . . . Nein, es ist ein Pfeil, welcher fliegt. Ach, wie er mich gerade in's Herz getroffen! Wer hat ihn auf mich abgeschossen? Du, Sophie . . ."

Er neigte das Haupt und stammelte unzusammenhängende Worte.

Ich sah mich nach Jélisséi um . . . dieser stand aufgerichtet, die Arme auf dem Rücken gekreuzt, mit Schmerz seinen Herrn betrachtend.

„Mein Freund!" rief plötzlich Jakob, auf mich einen so hellen und durchdringenden Blick heftend, daß er mich zittern machte, „du bist ein praktischer Mann geworden, und ich habe es nicht dahin bringen können. Was ist zu thun? Ich bin ein Träumer... Ach die Träume, die Träume. Nichts gleicht den Träumen...! Der Gatte Sophiens... Es ist auch ein Traum."

Passinkow hörte vor dem Morgen nicht auf, so zu phantasiren. Endlich beruhigte er sich etwas, sank von Neuem auf sein Kissen und schlummerte ein. Ich ging zurück in mein Zimmer. Diese Schmerzensnacht hatte mich erschöpft; ich versank in tiefen Schlaf.

Jélisséi weckte mich abermals.

„Ach, Väterchen,“ sagte er mit zitternder Stimme, „ich glaube, mein Herr stirbt.“

Ich eilte zu ihm; er war unbeweglich; beim Schimmer des erwachenden Tages hatte er das Aussehen eines Leichnams; indeß, er erkannte mich. „Lebe wohl,“ sagte er mir, mit dem Kopfe nickend, „lebe wohl, grüße sie von mir . . . es ist vorbei.“

„Jakob!“ rief ich, „sprich nicht so. Du wirst leben!“

— „Nein, nein, ich sterbe . . . Nimm,“ fügte er hinzu, mit seiner Hand in den Busen greifend, „nimm dieses Andenken . . . Was sehe ich?“ murmelte er nach einer kleinen Pause, „. . . das Meer . . . grüne Inseln . . . Ufer, in goldenem Schimmer, marmorne Kirchen . . . Palmen . . . Weihrauch . . .“

Er schwieg und streckte sich auf seinem Lager; eine halbe Stunde später hauchte er den letzten Seufzer aus. Jélisséi fiel weinend zu seinen Füßen nieder; ich drückte ihm die Augen zu.

Er trug auf der Brust ein Amulet in Seide, an einem schwarzen Band um den Hals befestigt; ich nahm es. Zwei Tage nachher beerdigten wir ihn.

Wir trugen das edelste Herz, das jemals geschlagen, zu Grabe. Ich warf die erste Schaufel Erde auf den Sarg.

III.

Im darauf folgenden Jahre riefen mich Geschäfte nach Moskau. Ich stieg in einem der besten Gasthöfe der Stadt ab. Eines Tages warf ich, über den Vorplatz gehend, einen Blick auf die schwarze Tafel, worauf die Namen der im Gasthofe Wohnenden geschrieben waren und da fand ich einen Namen, welcher mich dergestalt in Erstaunen setzte, daß ich beim Lesen desselben fast einen Schrei ausstieß. Es war der Name Sophie Nikolajewna's, der mit Kreide neben Nr. 12 an die Zimmerthür geschrieben war. Ich hatte in der letzten Zeit zufällig viel Trauriges von ihrem Manne erzählen hören; man sagte, daß er sich dem Trunk und dem Spiel ergeben habe, daß er sich zu Grunde richte und sich in jeder Beziehung schlecht benehme. Dahingegen sprach man von seiner Frau mit großer Achtung. Ich ging sehr aufgeregt in mein Zimmer zurück, nachdem ich erfahren, daß sie mir so nahe sei. Mein Herz schlug, als sei meine längst entschlummerte Leidenschaft plötzlich wieder erwacht.

Ich beschloß, Sophie aufzusuchen. Es sind so viele Jahre seit unserer Trennung verflossen, sagte ich mir, daß sie vergessen haben wird, was zwischen uns vorgegangen.

Ich rief Jélisséi, den ich seit Jakob's Tod in meine Dienste genommen, und sandte ihn mit einer Karte zu Sophien, indem ich ihn beauftragte, sie zu fragen, ob sie mich wohl empfangen wolle.

Eine Weile nachher kam er zurück, um mir anzukündigen, daß sie mich erwarte.

Ich fand sie in ihrem Zimmer in Unterredung mit einem vierschrötigen Individuum.

„Wie Sie wünschen,“ sagte das Individuum mit schneidender Stimme zu ihr; „aber ich wiederhole Ihnen, daß es ein schädlicher Mensch ist; er thut nichts und in einer Gesellschaft, welche, wie die unsrige, ihren Obliegenheiten so regelmäßig nachkommt, sind solche Menschen schädlich, sehr schädlich.“

Nach diesen Worten zog er sich zurück; Sophie näherte sich mir.

„Wie lange ist es her, daß wir uns nicht gesehen haben! Ich bitte, setzen Sie Sich.“

Wir ließen uns nieder und ich betrachtete sie.

Ach, ein ehemals so geliebtes Gesicht nach langer Trennung wieder zu sehen, es kennen und doch nicht wieder kennen; theure Züge, welche man nicht vergessen konnte, suchen und eine Physiognomie wiederfinden, ähnlich und doch so verschieden von der, welcher man sich erinnert, unwillkürlich hier und da die Spuren der Zeit entdecken ... Das ist ein trauriger Eindruck ... Und ich auch bin verändert! muß man sich sagen.

Uebrigens war Sophie Nikolajewna nicht sehr gealtert. Als ich sie zum ersten Mal gesehen, war sie erst sechzehn Jahre alt und seit dieser Zeit waren neun Jahre verflossen. Ihre Züge kamen mir jetzt regelmäßiger und strenger vor, und sie zeigten dieselbe Offenheit und Festigkeit, wie ehemals. Aber früher waren sie ruhig und nun zeigten sie Spuren geheimen Leidens und der Aufregung. Ihre Augen schienen tiefer zu liegen und trüber zu sein. Ihr Aussehen fing an, dem ihrer Mutter ähnlich zu werden.

„Wir haben uns Beide verändert," sagte sie zu mir; ... „wo sind Sie denn während der ganzen Zeit gewesen?"

„Ich bin weit umhergeirrt . . . Und Sie? Ich hörte, Sie hätten auf Ihren Gütern gelebt.“

„Ja, ich bin auf dem Lande geblieben und nur hier auf der Durchreise.“

„Und Ihre Eltern?“

„Meine Mutter ist todt; mein Vater ist in Petersburg, mein Bruder im Dienst und Barbara wohnt bei uns.“

„Und Ihr Gemahl?“

„Mein Mann,“ erwiderte sie hastig, — „er ist im südlichen Rußland, um die Jahrmärkte zu besuchen ... Sie wissen, daß er immer ein großer Pferdeliebhaber war . . . Er hat ein Gestüt angelegt . . . und das ist der Grund, warum er jetzt Pferde kauft.“

In diesem Augenblick trat ein kleines, achtjähriges Mädchen, à la chinoise frisirt, mit lebhaftem, geistvollem Gesicht und großen, dunkelgrauen Augen ein. Sie blieb bei meinem Anblick stehen, machte einen allerliebsten Knicks und ging dann auf Sophie zu.

„Ich stelle Ihnen meine Tochter vor,“ sagte Sophie, die Hand unter das Kinn des Kindes legend, zu mir. „Sie wollte durchaus nicht zu Hause bleiben und so mußte ich sie mit hieher nehmen.“

Das kleine Mädchen sah mich eine Weile mit ihren großen Augen etwas blinzelnd an.

„Ein Mädchen," fuhr Sophie fort, „welches, man muß gerecht sein, sich vor nichts fürchtet und auch nicht übel lernt."

„Comment se nomme Monsieur?" fragte leise die Kleine, sich an ihre Mutter schmiegend.

Sophie sagte ihr meinen Namen. Das Kind betrachtete mich von Neuem.

„Und Du," erwiderte ich, „wie heißt Du?"

„Lydia," antwortete sie, mir fest in's Auge blickend.

„Ah, ich bin überzeugt, daß man Dich sehr verhätschelt."

„Wer sollte mich verhätscheln?"

„Nun, sicherlich alle Welt; zuerst Deine Eltern."

Lydia sah ihre Mutter stillschweigend an.

„Dein Vater," fügte ich hinzu . . .

„Ja, ja," sagte eilig Sophie, während ihr Töchterchen die Augen auf sie heftete. „Ja, mein Mann gewiß . . . er liebt die Kinder sehr."

Das kleine Gesicht Lydia's nahm einen eigenthümlichen Ausdruck an . . . ihre Lippen erzitterten leicht ihre Augen senkten sich.

„Aber sagen Sie mir," nahm Sophie schnell wieder das Wort, „sind Sie in Geschäften hier?"

— „Ja . . . und Sie auch, denke ich!"

— „Natürlich! In der Abwesenheit meines Mannes bin ich gezwungen, Manches zu ordnen."

„Maman!" rief das Kind.

„Quoi, mon enfant?"

„Non — rien . . . je te dirai après."

Sophie lächelte und zuckte die Achseln. Wir schwiegen beide und Lydia kreuzte ernst ihre Arme über der Brust.

„Apropos," sagte Sophie, „Sie hatten einen Freund, fällt mir ein . . . wie hieß er doch? . . . ein guter Mensch. Er las zuweilen Verse . . . und mit welcher Begeisterung."

„Sie reden von Passinkow?"

— „Ja wohl, Passinkow. Wo ist er jetzt?"

— „Er ist todt."

— „Todt? Welch' ein Unglück!"

— „Beklagen Sie ihn?" erwiderte ich. „Ach wenn Sie ihn gekannt hätten wie ich! Aber sagen Sie mir, warum sprechen Sie von ihm früher, als von edem Andern?"

— „Ich weiß wirklich nicht," antwortete sie, die Augen senkend; „Lydia geh wieder zu Deiner Bonne!"

— „Du rufst mich aber bald wieder?"

— „Ja, geh nur, mein Kind!"

Sobald die Kleine hinaus gegangen war, wendete sich ihre Mutter zu mir und sagte: „Ich bitte Sie, erzählen Sie mir Alles, was Sie von Passinkow wissen."

Ich begann meine Erzählung und schilderte ihr in aller Kürze das Leben meines Freundes, wie die Eigenschaften seines Herzens; ich sprach ihr von meiner letzten Begegnung mit ihm und seinem frühen Ende. „Und ein solcher Mensch," rief ich, „konnte ungeschätzt, unbeachtet bleiben! Aber das ist noch nichts. Was liegt an der Schätzung der Welt? Doch was mich schwer betrübt, was mir großen Kummer macht, ist der Gedanke, daß mein Freund mit einem Herzen, wie es seines Gleichen nicht giebt, gestorben ist, ohne die Glückseligkeit der Liebe gekostet, ohne in der Seele eines Weibes Sympathie erweckt zu haben, das seiner würdig gewesen wäre. Wenn Andere keine Zuneigung erweckten, was schadet's, wenn sie es nicht verdienten? Aber

Passinkow! . . . Habe ich nicht Tausende gekannt, welche nicht mit ihm verglichen werden konnten, und welche doch geliebt waren? Sind folglich gewisse Fehler, z. B. Eigenliebe, Leichtsinn, nicht nothwendig, um die Gunst der Frauen zu erringen? Oder fürchtet die Liebe die Vollkommenheit, soweit Vollkommenheit in dieser Welt möglich ist — nicht wie eine zu seltsame, wunderbare Erscheinung?"

Sophie hörte mir, den durchdringenden Blick auf mich geheftet, ruhig zu. Dann und wann nur runzelte sie die Augenbrauen.

„Aber weshalb nehmen Sie an, „sagte sie endlich, daß Ihr Freund keine Liebe eingeflößt habe?"

„Ich weiß es. Ich bin davon überzeugt."

Ich sah, daß sie mir antworten wollte, daß sie stockte, innerlich kämpfte.

Endlich nahm sie das Wort: „Sie täuschen sich, ich kenne ein Wesen, welches Ihren Freund sehr geliebt, welches nicht aufgehört hat, ihn zu lieben, sich seiner zu erinnern, und welches auf's Tödtlichste getroffen sein wird, wenn es erfährt, daß er nicht mehr ist."

„Darf ich Sie fragen, wer dieses Wesen ist?"

„Meine Schwester Barbara."

„Barbara?" rief ich.

„Ja."

„Ist's möglich? Barbara Nikolajewna? Diese ..."

„Ich begreife Ihr Erstaunen. Dieses Mädchen, welches Ihnen so nachlässig, so gleichgültig, so kalt erschienen, liebte Ihren Freund; und das ist die Ursache, daß sie nicht verheirathet ist und sich niemals verheirathen wird. Bis auf diesen Tag war ich die Einzige, welche um ihr Geheimniß wußte. Barbara würde eher sterben, als es Anderen anvertrauen. In unserer Familie weiß man zu schweigen und zu leiden."

Ich betrachtete Sophie aufmerksam, in der Stille über die Bitterkeit dieser letzten Worte nachsinnend.

„Sie setzen mich in Erstaunen," sagte ich zu ihr, „allein wenn ich nicht fürchtete, in Ihnen eine unangenehme Erinnerung zu wecken, so könnte ich meines Theils Ihnen eine Entdeckung machen, die Sie nicht weniger überraschen würde."

„Ich begreife Sie nicht," erwiderte sie mir in einem Tone, welcher eine gewisse Verlegenheit verrieth.

„Nein, Sie können mich nicht verstehen, — sagte

ich, aufspringend — wenn Sie mir erlauben, so übergebe ich Ihnen statt der Erklärung einen Gegenstand..."

„Was denn?"

„Beruhigen Sie sich. Es handelt sich dabei nicht um mich."

Ich empfahl mich, ging zurück in mein Zimmer, nahm das Amulet Passinkow's und schickte es Sophien mit folgenden Zeilen:

„Passinkow trug dieses Amulet auf der Brust und bewahrte es bis zu seinem letzten Augenblick. Es befindet sich darin der einzige, und zwar wenig bedeutende Brief, den er von Ihnen empfangen. Sie können ihn lesen. Er bewahrte dieses Kleinod, weil er Sie leidenschaftlich liebte und er machte mir dies Geständniß erst in seiner letzten Stunde. Warum sollte ich Ihnen jetzt, wo er todt ist, nicht sagen, daß sein Herz Ihnen gehörte?"

Jélisséi kam nach einer kurzen Zeit zurück und brachte mir das Amulet wieder.

„Nun," rief ich ihm entgegen, „was hat sie gesagt?"

„Nichts."

„Hat sie mein Billet gelesen?"

„Ich denke, daß sie es gelesen hat; ihre Kammerfrau brachte es ihr.“

„Unbeugsam!“ sagte ich zu mir, mich der letzten Worte Jakob's erinnernd. „Es ist gut, Du kannst wieder gehen.“

Jélisséi ging jedoch nicht von der Stelle. Er lächelte in eigenthümlicher Weise und sagte dann: „Es ist ein junges Mädchen da, welches Sie zu sprechen verlangt.“

„Was für ein Mädchen?“

„Hat Ihnen mein verstorbener Herr nicht von ihr gesagt?“

„Nein; was ist's denn?“

„Als mein Herr in Nowgorod war,“ erwiderte Jélisséi, sich die Stirne reibend, „lernte er dieses Mädchen kennen; das ist es, weshalb es Sie sehen möchte. Ich bin ihr vor einigen Tagen auf der Straße begegnet und habe ihr gesagt, daß ich sie, sobald es der Herr erlaubte, einlassen würde.“

„Geh, sie zu holen, geh! Was ist sie!“

„Ein einfaches Bürgermädchen.“

„Und Passinkow hat sie geliebt?“

„Gewiß, er liebte sie . . . Aber als sie seinen

Tod erfuhr, war sie wie vernichtet .... Ein gutes Mädchen übrigens."

„Laß sie kommen."

Einen Augenblick später trat Jélisséi mit einer jungen Person, in bunten Cattun gekleidet, mit einem braunen Tuch auf dem Kopfe, welches ihr das Gesicht halb verschleierte, ein. Als sie mich sah, wurde sie ganz verwirrt und blieb stehen.

„Nur vorwärts," sagte Jélisséi zu ihr, „fürchte Dich nicht."

Ich ging ihr entgegen und nahm sie bei der Hand.

„Wie heißest Du denn?" fragte ich.

„Maria," antwortete sie mit schüchterner Stimme, mich verstohlen ansehend.

Sie war ungefähr 20 bis 23 Jahre alt, hatte ein rundes, ziemlich gewöhnliches, aber angenehmes Gesicht, frische Farben, kleine, sehr sanfte blaue Augen und hübsche, feine Hände. Ihre Kleidung war sehr sauber.

„Du hast Jakob Iwanitsch gekannt?" fragte ich.

„Ja," antwortete sie, den Saum ihres Taschentuches zupfend, und ihre Augenwimpern feuchteten sich mit Thränen an. Ich bat sie, sich zu setzen.

Sie ließ sich ohne Umstände und Ziererei auf den Rand des Stuhles nieder.

Jélisséi ging hinaus.

„Du hast meinen Freund in Nowgorod gekannt?"

„Ja, in Nowgorod," erwiderte sie, ihre Hände unter dem Taschentuch reibend. „Vor drei Tagen begegnete mir Jélisséi auf der Straße und ich erfuhr von ihm den Tod Jakob Iwanitsch's. Als er nach Sibirien abreiste, versprach er mir zu schreiben, er that es zweimal, dann hörte er auf. Ich wollte ihm nach Sibirien folgen, aber er hat es mir nicht erlaubt."

„Hast Du Verwandte in Nowgorod?"

„Ja."

„Und lebst Du bei ihnen?"

„Ich lebte bei meiner Mutter und Schwester, welche verheirathet ist. Nachher wurde meine Mutter böse auf mich und da meine Schwester keinen Platz in ihrem Zimmer hatte, weil sie viel Kinder hat, so bin ich fortgegangen. Ich rechnete auf Jakob Iwanitsch und dachte nur daran, ihn wiederzusehen. Er war so gut gegen mich; fragen Sie nur Jélisséi!"

„Seine Briefe habe ich sorgfältig aufbewahrt," fuhr

sie nach einer Weile fort. „Wollen Sie sie sehen?“ Bei diesen Worten zog sie einige Papiere aus ihrer Tasche, reichte Sie mir und sagte: „Nehmen Sie, lesen Sie.“

Ich entfaltete einen der weitläufig und leserlich geschriebenen Briefe, welcher folgendermaßen lautete:

„Meine liebe Marie! Du legtest gestern Deinen Kopf an meine Stirn und als ich Dich fragte, was Dich dazu veranlaßte, antwortetest Du mir: Ich möchte hören, was Sie denken. Willst Du es wissen? so höre: ich dachte, daß Marie gern Unterricht im Schreiben und Lesen nehmen möchte, um meine Briefe entziffern zu können.“

„Diese da,“ fügte das Mädchen hinzu, „sind von Nowgorod — nachdem er mir wirklich Unterricht gegeben. Allein ich habe noch andere Briefe; da ist noch einer von Sibirien; lesen Sie.“

Alle diese Schreiben waren liebreich und selbst etwas zärtlich. In dem ersten, welches Jakob von Sibirien gesandt, nannte er Marien seine beste Freundin; er versprach, ihr Geld zu schicken und schloß:

„Ich küsse Deine kleinen hübschen Hände. Hier haben die Mädchen nicht so schöne Hände, auch keinen solchen Kopf und kein so gutes Herz wie Du. Lies die Bücher, welche ich Dir bei meinem Scheiden gab, und erinnere Dich meiner. Ich werde Dich nie vergessen; Du bist die Einzige, die mich geliebt hat, und Dir allein will ich angehören."

— „Ich sehe, daß er Dir sehr anhänglich war," sagte ich zu Marien, ihr den Brief zurückgebend.

— „Ja, er hat mich recht lieb gehabt," erwiderte sie, sorgfältig ihren Schatz verbergend, und die Thränen, welche sie bis dahin zurückgehalten, flossen über ihre Wangen. „Ich habe immer mein Vertrauen auf ihn gesetzt, und wenn Gott ihn hätte leben lassen, so würde er mich nicht verlassen haben. Gott möge ihn aufnehmen in sein Himmelreich!"

Indem sie so sprach, trocknete sie ihre Thränen.

„Und wo wohnst Du jetzt?" fragte ich.

— „Ich bin mit einer Dame nach Moskau gekommen, welche mich in ihren Dienst genommen hatte. Jetzt bin ich ohne Stelle. Ich wurde an eine Tante Jakob Iwanitsch's gewiesen, allein diese Tante ist arm. Er sprach mir oft von Ihnen," fügte sie, sich erhebend und vor mir verbeugend hinzu; „er liebte Sie sehr. Ich begegnete vor drei Tagen

Jélisséi und dachte, Sie könnten mir vielleicht zu einer Stelle verhelfen."

— „Das würde mit großem Vergnügen geschehen, Marie, und ich würde Alles thun, was ich vermag ... Allein ich bin hier nur auf der Durchreise und kenne sehr wenig Leute."

Marie seufzte.

„Es ist einerlei, welche Stelle es ist," begann sie wieder; „ich verstehe nicht Kleider zu machen, aber ich kann nähen und könnte Kinder warten."

Ich dachte in diesem Augenblick darüber nach, was ich für sie thun könnte, und beschloß, ihr Geld anzubieten.

„Höre, Marie," sagte ich etwas verlegen zu ihr, ... „Du weißt, daß ich der gute Freund Passinkow's war ... Willst Du mir erlauben, daß ich Dir, für den Anfang, eine kleine Summe zur Verfügung stelle?"

Sie sah mich stillschweigend an.

„Wie?" fragte sie mich.

— „Hast Du kein Geld nöthig?"

Sie erröthete und schüttelte den Kopf.

„Was sollte mir das nützen," sagte sie mit leiser Stimme, „eine Stelle würde mir lieber sein."

„Ich werde versuchen, Dich unterzubringen, allein ich bin nicht sicher, ob es mir gelingen wird und Du könntest in Verlegenheit kommen. Siehst Du, ich bin für Dich kein Fremder . . . Nimm dies zum Gedächtniß unseres Freundes an."

Ich holte eiligst aus meiner Brieftasche einige Banknoten und reichte sie ihr hin.

Sie blieb unbeweglich und gesenkten Hauptes.

„Nimm es," sagte ich etwas bestimmter.

Sie sah mit einem schmerzlichen Ausdruck zu mir auf, zog ihre bleiche Hand aus dem Sacktuch und streckte sie nach mir aus.

Ich legte meine Papiere auf ihre eisigen Fingerspitzen, sie nahm dieselben, verbarg wieder ihre Hand und senkte die Augen.

„Und nun, Maria," fuhr ich fort, „wenn ich Dir noch in irgend etwas nützlich sein kann, so laß es mich wissen; hier ist meine Adresse."

— „Ich bin Ihnen sehr dankbar," erwiderte sie; dann nach einer kleinen Weile des Nachdenkens fügte sie hinzu: „Hat er Ihnen nie von mir gesprochen?"

„Ich sah ihn erst vor seinem Todestage wieder. Aber in der That .... ich erinnere mich .... daß er mir sagte ....“

Maria legte ihre Hand an die Stirn, besann sich einige Augenblicke, dann empfahl sie sich und ging.

Ich blieb traurig in meinem Zimmer, über Alles nachdenkend, was ich so eben erfahren, über das Verhältniß Jakobs, seine Briefe, über die geheime Liebe der Schwester Sophiens. „Armer Freund!“ murmelte ich, schwer seufzend, „armer Freund!“ Ich rief mir sein ganzes Leben, seine Kindheit, seine Jugend und seine erste Neigung zu Fräulein Friederike in's Gedächtniß zurück. Und ich mußte mir eingestehen, daß daß Schicksal sehr geizig und hart gegen ihn gewesen war.

Am andern Tage begab ich mich wieder zu Sophien. Man ließ mich erst im Vorzimmer warten und als ich bei ihr eintrat, fand ich sie mit ihrer Tochter. Ich begriff, daß sie die gestrige Unterhaltung nicht fortzusetzen wünschte. Wir sprachen, ich weiß nicht von was, von Stadtneuigkeiten, Geschäften u. s. w. Von Zeit zu Zeit mischte Lydia einige Worte in unser Gespräch und betrachtete mich mit schlauer Miene.

In ihrem beweglichen Gesichte drückte sich plötzlich eine ergötzliche Wichtigkeit aus. Das kluge kleine Mädchen hatte jedenfalls errathen, daß sie die Mutter absichtlich bei sich behalten habe.

Ich erhob mich, um Abschied zu nehmen; Sophie begleitete mich bis zur Thür.

„Ich habe Ihnen gestern nicht geantwortet," sagte sie, auf der Schwelle stehen bleibend, „und was hätte ich Ihnen auch antworten sollen? Unser Leben hängt nicht von uns ab. Wir haben Alle einen Anker, welcher eben so lange festhält, als man ihn nicht selbst zerbricht: es ist das Pflichtgefühl." Ich stimmte diesem Spruch der Weisheit durch ein bejahendes Kopfnicken bei und trennte mich von der jungen Puritanerin. Ich blieb den Abend über in meinem Zimmer, aber ich dachte nicht an sie. Ich gedachte meines theuern, vortrefflichen Passinkow, dieses letzten der Romantiker; und bald sanfte Gefühle, bald traurige, durchdrangen mich mit melancholischem Zauber und ließen die Saiten meines Herzens, welches noch nicht vollständig gealtert war, erklingen.

„Friede sei mit Dir!" rief ich aus, „Friede Deiner Asche, der Du kein praktischer Mann, sondern ein kindlicher Idealist warst. Du wandeltest gleich einem Fremden unter den praktischen Leuten, und vielleicht, daß sie Deinen Schatten verspotten! Aber Gott gebe, daß ihnen nur der hundertste Theil der reinen Freuden zu Theil werde, welche dem Schicksal und der Welt zum Trotz, Deinem armen, bescheidenen Leben Zauber verliehen.

Erste Liebe.

11*

Erste Liebe.

. . . Die Gäste hatten sich schon lange entfernt. Die Wanduhr schlug halb ein Uhr nach Mitternacht. Im Zimmer war nur der Hausherr mit Sergéj Nikolajewitsch und Wladimir Petrowitsch zurückgeblieben

Der Hausherr schellte und befahl, die Reste des Abendessens abzuräumen.

„Es bleibt also dabei" — sagte er, indem er sich tiefer in den Lehnstuhl zurücksetzte uud eine Cigarre anzündete — „es bleibt also dabei, daß Jeder von uns die Geschichte seiner ersten Liebe erzählen muß. Sergéj Nikolajewitsch, Sie fangen an!"

Sergéj Nikolajewitsch, ein kleiner, runder, blonder Herr mit aufgedunsenem Gesichte, sah erst den Hausherrn an und erhob dann die Augen zur Decke.

„Ich habe gar keine erste Liebe gehabt," sagte er — „ich habe gleich bei der zweiten angefangen."

„Wie so?"

„Nun, die Sache ist ganz einfach. Ich war achtzehn Jahr alt, als ich zum Erstenmale einem sehr hübschen Fräulein den Hof machte; allein ich that das in einer Weise, als ob es mir gar nichts Neues gewesen wäre, kurz, in derselben Weise wie ich später auch andern Damen den Hof gemacht habe. Die Wahrheit zu sagen, war ich nicht mehr als sechs Jahre alt, als ich mich zum ersten und letzten Male verliebte, und zwar in meine Amme; — aber das ist schon sehr lange her. Die Einzelheiten dieses Verhältnisses sind meinem Gedächtniß entschlüpft, und wenn ich mich ihrer auch noch erinnerte: wer könnte sich dafür interessiren?"

„Was ist da zu machen?" nahm der Hausherr wieder das Wort. „Von meiner ersten Liebe ist auch nicht viel Merkwürdiges zu berichten: ich war nie verliebt gewesen bis ich Anna Iwanowna, meine jetzige Frau, kennen lernte — und bei uns ging Alles so glatt ab wie nur möglich; unsere Väter beschlossen ein Paar aus uns zu machen, wir gewannen einander sehr schnell lieb und ließen uns auch sofort trauen. Meine Geschichte ist also in zwei Worten erzählt. Ich gestehe offen, meine Herren, daß ich beim Anregen dieser Frage von der ersten Liebe auf Sie zwei Junggesellen zählte, die Sie gerade noch nicht alt, aber doch auch keine Jünglinge mehr sind. Sollten Sie uns nicht etwas Unterhaltendes zu erzählen haben, Wladimir Petrowitsch?"

„Meine erste Liebe bietet in der That Ungewöhnliches genug," erwiderte, etwas zögernd, Wladimir Petrowitsch, ein Mann von etwa vierzig Jahren, mit schwarzen, schon in's Graue hinüberspielenden Haaren.

„Ah!" riefen die beiden Andern wie mit Einer Stimme. „Desto besser . . . erzählen Sie!"

„Sehr gern . . . doch nein, ich werde nicht erzählen; ich bin ein schlechter Erzähler; entweder geht es mir zu trocken und kurz ab, oder ich werde weitschweifig und ungenau. Wenn Sie erlauben, will ich lieber Alles, was ich noch von der Geschichte weiß, im Zusammenhange aufschreiben und Ihnen dann vorlesen."

Die Freunde wollten erst nicht einwilligen, aber Wladimir Petrowitsch bestand auf seinem Vorschlage. Nach vierzehn Tagen kamen sie wieder zusammen und Wladimir Petrowitsch erfüllte sein Versprechen.

Hier folgt seine Geschichte, wie er sie nieder=geschrieben.

I.

Es begab sich im Sommer 1833; ich war damals sechzehn Jahre alt und wohnte bei meinen Eltern in Moskau.

Sie hatten ein Landhaus beim Kaluga'schen Thore gemiethet, gerade dem Kronsgarten von Neskuschnoi gegenüber. Ich bereitete mich zur Universität vor, arbeitete aber sehr wenig und nahm mir Zeit zu meinen Studien.

Niemand beengte mich im Genuß meiner Freiheit. Ich that was mir einfiel, besonders seit mein letzter französischer Hauslehrer mich verlassen hatte, der sich nicht an den Gedanken gewöhnen konnte, daß er wie eine Bombe (comme une bombe) in Rußland niedergefallen sei, und ganze Tage lang mit grimmigem Gesichte sich in seinem Bette herumwälzte. Mein Vater behandelte mich mit einer freundlichen Gleichgiltigkeit; meine Mutter bekümmerte sich so wenig wie möglich um mich, obgleich ich ihr einziges Kind war: andere Sorgen nahmen sie völlig in Anspruch. Mein Vater, ein noch junger und sehr schöner Mann, hatte sie aus Berechnung geheirathet; sie war wohl zehn Jahre älter als er. Meine Mutter führte ein trauriges Leben; sie war in beständiger Aufregung, Eifersucht und Gereiztheit — aber zeigte das nie in Gegenwart meines Vaters, vor dem sie große Furcht hatte, der sich immer streng, kalt und zurückhaltend gegen sie zeigte ... Nie habe ich einen Mann von mehr künstlicher Ruhe, Selbstvertrauen und Selbstbeherrschung gesehen.

Ich werde nie die ersten Wochen meines Aufenthalts in dem Landhause vergessen. Das Wetter war herrlich; wir hatten die Stadt am 9. Mai, gerade am Tage des heiligen Nikolaus, verlassen. Ich spazierte bald in unserm Garten, bald im Park von Neskuschnoi, bald vor dem Thore umher; nahm auch wohl ein Buch mit, wie z. B. Kaidanow's Leitfaden der Geschichte, schlug es aber selten auf, sondern deklamirte lieber Gedichte, deren ich eine große Menge auswendig wußte. Mein Blut kochte; durch mein Herz schauerte eine seltsam süße Wehmuth — es war lächerlich — ich stand immer wie in banger Erwartung, als ob mir etwas Besonderes bevorstände, ich staunte über Alles und war auf Alles gefaßt. Meine aufgeregte Phantasie umgaukelte immer dieselben Vorstellungen, wie in der Morgenröthe die Schwalben einen Thurm umfliegen; ich wurde nachdenklich, traurig, und zuweilen kamen mir gar Thränen in die Augen: aber durch diesen Gram und diese Thränen, welche bald durch den Zauber wohlklingender Verse, bald durch die Schönheit des Abends hervorgerufen wurden, drang wie das Grün des Frühlings, das Wonnegefühl des jungen, gährenden Lebens.

Ich hatte ein Reitpferd, welches ich selbst zu satteln pflegte. Und so ritt ich allein hinaus in die Weite, ohne bestimmtes Ziel, spornte das Pferd zum Galopp und bildete mir ein, ein Ritter auf einem Turniere zu sein. Wie lustig der Wind mir dann in die Ohren blies! Oder, meine Augen zum Himmel erhebend, ließ ich sein strahlendes Licht und sein verklärtes Blau bis zum Grunde meines Herzens dringen.

Ich erinnere mich, daß in jener Zeit das Bild einer Frau, die Vorstellung weiblicher Liebe meinem Geiste niemals in deutlichen Zügen erschien, daß aber in Alles was ich dachte und fühlte, ein nur halbbewußtes, verschämtes Vorgefühl, eine Ahnung von etwas Neuem, unsäglich Süßem, Weiblichem sich einmischte . . .

Dieses Vorgefühl, diese ahnungsvolle Erwartung durchdrang mein ganzes Wesen; sie durchrieselte meine Adern; durchglühete jeden Blutstropfen und . . . sollte sich bald verwirklichen.

Unser Landhaus bestand aus einer von Holz gebauten Herrenwohnung mit Pfeilern und zwei niedrigen Flügeln. Der zur Linken enthielt eine kleine, kümmerliche Tapetenfabrik, die ich oft besuchte, um zuzusehen wie abgemagerte, zerlumpte Jungen mit schmutzigen Röcken und hagern Gesichtern alle Augenblicke auf die hölzernen Hebebäume sprangen, welche die viereckigen Preßblöcke niederdrückten, und wie sie so durch das Gewicht ihrer schwächlichen Körper die buntscheckigen Tapetenmuster fertig brachten. Der rechte Flügel des Hauses stand leer und war zu vermiethen.

Eines Tages — etwa drei Wochen nach dem 9. Mai — wurden die Fensterläden dieses Flügels geöffnet und es zeigten sich zwei Frauengesichter; eine Familie war eingezogen. Ich erinnere mich, daß an demselben Tage meine Mutter während des Essens sich bei unserm Intendanten nach den neuen Miethsleuten erkundigte und, als sie erfuhr, daß die Fürstin Sassékin unsere Nachbarin sei, mit einem gewissen respektsvollen Nachdruck ausrief: „Ah, eine Fürstin!...“ dann aber hinzufügte: „es muß wohl eine arme Fürstin sein.“

„Sie sind mit drei Miethwagen gekommen“ — entgegnete der Intendant, indem er meiner Mutter ehrerbietig die Schüssel servirte —; „eigene Equipage haben sie nicht und ihr Mobiliar sieht auch nach nichts Besonderem aus.“

„Ja“ — hub meine Mutter wieder an — „aber das ist immer besser als . . .“

Mein Vater warf ihr einen kalten Blick zu und sie schwieg.

In der That konnte die Fürstin Sassékin keine reiche Dame sein: der von ihr gemiethete Flügel war so baufällig, klein und niedrig, daß ihn Leute von auch nur einiger Wohlhabenheit schwerlich bezogen haben würden. — Uebrigens machten die gehörten Bemerkungen mir damals keinen Eindruck. Der Fürstentitel imponirte mir wenig: ich hatte kurze Zeit vorher Schiller's „Räuber“ gelesen.

II.

Ich pflegte jeden Abend mit einer Jagdflinte unsern Garten zu durchstreifen und den Raben aufzulauern. Gegen diese vorsichtigen, schlauen und raubgierigen Vögel hatt' ich von jeher einen entschiedenen Widerwillen. An dem vorhin erwähnten Tage war ich ebenfalls in den Garten gegangen und hatte vergebens alle Alleen durchstöbert; die Raben hatten mich erkannt und krächzten nur von Weitem ab und zu. Zufällig kam ich in die Nähe des niedern Zaunes, der unsern Antheil von dem schmalen Gartenstreifen trennte, welcher sich hinter dem Hausflügel hinzog und zu diesem gehörte. Mit gesenktem Kopfe ging ich weiter. Plötzlich vernahm ich Stimmen; ich warf einen Blick über den Zaun', und blieb stehen wie versteinert... Ein seltsames Schauspiel that sich vor mir auf.

Nur wenige Schritte von mir entfernt — auf einem Rasenplatze, zwischen blühenden Himbeerstauden — stand ein hochgewachsenes schlankes Mädchen in gestreiftem rosafarbenen Kleide und mit einem weißen Tuch auf dem Kopfe. Um sie drängten sich vier junge Leute, deren Stirnen sie der Reihe nach mit jenen kleinen grauen Blumen schlug, deren Namen ich nicht kenne, welche aber den Kindern wohlbekannt sind: diese Blumen bilden kleine Säckchen, die mit einem Knall platzen, wenn man sie an einen harten Gegenstand schlägt. Die jungen Leute boten so freudig ihre Stirn dar, und in den Bewegungen des jungen Mädchens (die ich nur von der Seite sehen konnte) lag etwas so Bezauberndes, Gebietendes, und doch zugleich Spöttisches, Einschmeichelndes und Liebenswürdiges, daß ich vor Staunen und Entzücken fast aufgeschrieen hätte. Alles in der Welt würd' ich darum gegeben haben, auch einen Schlag auf die Stirne von diesen reizenden Fingern zu bekommen. Meine Flinte glitt in's Gras, ich vergaß Alles und verschlang mit den Augen diese herrliche Gestalt, diesen prächtigen Hals, diese reizenden Hände und die blonden, unter dem weißen Tuche ein wenig aufgelösten Haare, und dieses halbgeschlossene kluge Auge, und die Wimpern, und die zarte Wange darunter . . .

„Junger Mann! Sie da, junger Mann!“ — ließ sich plötzlich eine Stimme neben mir hören — „ist es erlaubt, fremde junge Damen so zu belauschen?“

Ich zitterte vom Wirbel bis zur Sohle und blieb

stumm stehen... Neben mir, hinter dem Zaune stand ein Mann mit kurz abgeschnittenen schwarzen Haaren und sah mich höhnisch lächelnd an. In demselben Augenblicke wandte sich auch das junge Mädchen nach mir um . . . Ich sah ein paar große, feurige graue Augen, ein belebtes Gesicht, das plötzlich zitterte und lächelte und blendend weiße Zähne sehen ließ, während sie die Augenbrauen wie scherzend in die Höhe zog . . . Ich erröthete, raffte meine Flinte auf und, von einem lauten, aber nicht bösartigen Gelächter verfolgt, rannte ich in mein Zimmer, warf mich auf's Bett und bedeckte das Gesicht mit beiden Händen. Mein Herz drohte die Brust zu sprengen; ich war zu gleicher Zeit beschämt und froh; ich fühlte eine mir bis dahin unbekannte Erregung.

Nach kurzem Ausruhen kämmte und säuberte ich mich und ging dann hinunter zum Thee. Das Bild des jungen Mädchens schwebte mir immer vor Augen; mein Herz begann ruhiger zu schlagen, aber ich fühlte noch einen Druck darin, der mich wonnig bewegte.

„Nun, was ist mit Dir?" frug mich plötzlich mein Vater. — „Hast Du einen Raben geschossen?"

Ich war schon im Begriff ihm Alles zu erzählen,

aber ich hielt an mich und lächelte nur für mich hin. Ich begab mich dann zur Ruhe, drehte mich, in meinem Zimmer angelangt, wohl dreimal auf Einem Beine herum (ich weiß heute noch nicht, warum?), wischte Pomade in meine Haare, legte mich in's Bett und schlief die ganze Nacht wie ein Todter. Gegen Morgen erwachte ich auf ein paar Augenblicke, erhob den Kopf, sah wie verzückt um mich und — schlief fest wieder ein.

III.

„Wie fang' ich's nur an, mit ihr bekannt zu werden?" war mein erster Gedanke, als ich endlich erwachte. Schon vor dem Thee ging ich in den Garten, kam aber dem Zaun nicht zu nahe und sah Niemand. Nach dem Thee spazierte ich einige Mal die Straße vor dem Landhause auf und ab, und spähete aus der Ferne nach den Fenstern ihrer Wohnung. Ich bemerkte hinter einem Fenstervorhange ihr Gesicht, und eilte erschrocken weiter. „Ich muß doch bekannt mit ihr werden," dachte ich, planlos in der Sandfläche umherstreifend, welche sich vor Neskuschnoi hinzieht... „Aber wie? Das ist die Frage." Ich rief mir die kleinsten Einzelheiten unserer gestrigen

Begegnung in's Gedächtniß zurück; besonders eindringlich erinnerte ich mich, wie sie über mich gelacht hatte... Allein, während ich in größter Aufregung die verschiedenartigsten Pläne entwarf, hatte das Schicksal schon über mich entschieden.

In meiner Abwesenheit hatte meine Mutter von ihrer neuen Nachbarin einen Brief auf grauem Papier erhalten, der mit dunkelbraunem Lack versiegelt war, von einer Sorte wie man sie sonst nur bei großen Postpacketen und auf den Körken billiger Flaschen Weines zu brauchen pflegt. In diesem Briefe, dessen Schrift, Orthographie und Ausdrucksweise viel zu wünschen übrig ließ, bat die Fürstin meine Mutter um Schutz und Beistand, indem sie sagte, meine Mutter sei genau bekannt mit verschiedenen hochgestellten Personen, von welchen das Schicksal der Fürstin und ihrer Kinder abhänge, da sie in sehr ernste Prozesse verwickelt sei. „Ich Wände mich an Sieh“ — schrieb sie — „wie Eine edel-Dame an die Andere, und es ist mir auserdem högst angenehm von dieser Gelegenheit zu prophithieren.“ Am Schlusse des Briefes bat die Fürstin um die Erlaubniß, meiner Mutter ihre Aufwartung machen zu dürfen. Ich traf diese in einer sehr verstimmten Gemüthsverfassung: mein Vater war nicht zu Hause, und sie wußte nicht, bei wem sie sich Raths erholen sollte.

Unbeantwortet konnte der Brief der „edel-Dame", die obendrein Fürstin war, unmöglich bleiben; aber das Nachdenken über die Abfassung einer passenden Antwort setzte meine Mutter in die größte Verlegenheit. Der Fürstin ein französisches Billet zu schreiben, schien ihr wenig passend; in der russischen Orthographie aber war meine gute Mutter selbst nicht ganz fest; sie wußte das und wollte sich nicht gern blosstellen. Sie freute sich deshalb sehr, als sie mich nach Haus kommen sah, und schickte mich gleich zur Fürstin, um dieser mündlich mitzutheilen, „daß meine Mutter stets bereit sei, Ihrer Erlaucht nach besten Kräften zu dienen und ihren Besuch noch an demselben Tage, gegen ein Uhr erwarte."

Die unerwartet plötzliche Erfüllung meiner geheimen Wünsche erfreute und erschreckte mich zugleich. Doch gelang es mir, meine Aufregung zu beherrschen, und ich eilte zuvor in mein Zimmer, um ein neues Halstuch umzubinden und einen Ueberrock anzuziehen: denn zu Hause trug ich immer noch eine Jacke und einen umgeschlagenen Hemdkragen, obgleich mich das sehr peinlich berührte.

IV.

In dem engen und unsaubern Vorzimmer unserer fürstlichen Nachbarin, deren Wohnung ich, am ganzen Leibe zitternd, betrat, begegnete mir ein alter, greiser Diener mit dunklem, kupferfarbigen Gesichte, kleinen, verdrießlichen Schweinsaugen, und so tiefen Furchen auf Stirn und Schläfen, wie ich im Leben noch keine gesehen hatte. Er trug auf einem Teller das abgenagte Rückgrat eines Härings, und, mit dem Fuße die Thüre aufstoßend, welche in das andere Zimmer führte, fragte er mich kurz angebunden: „Was wollen Sie?"

„Ist die Fürstin Sassékin zu Haus?" — wandte ich mich an ihn.

„Bonifazi!" rief plötzlich aus dem Zimmer eine schrilltönende Frauenstimme.

Der Diener drehte mir schweigend den Rücken zu, mit dem fadenscheinigen Hintertheil seiner schäbigen Livree, welche nur noch ein einziger, schon gelb angelaufener Wappenknopf zierte, — und stellte den Teller auf den Fußboden, um dem Rufe zu folgen.

12*

„Bist Du beim Viertelskommissair [1]) gewesen?" ließ sich die vorhin gehörte Frauenstimme wieder vernehmen.

Der Diener murmelte etwas in den Bart.

„Ah, ist Jemand gekommen?" — erscholl die Stimme abermals . . . „Der Sohn unseres Nachbars . . . bitte ihn, einzutreten."

„Belieben Sie in den Salon zu treten," sagte der zurückkehrende Diener, indem er seinen Teller vom Boden wieder aufnahm. Und ich trat in den „Salon".

Es war das ein kleines und nicht gerade sehr sauberes Zimmer mit ärmlichem, gleichsam über Hals und Kopf aufgestelltem Mobiliar. Am Fenster, in einem Lehnsessel, dem ein Arm fehlte, saß eine Frau von etwa fünfzig Jahren, barhaupt und nichts weniger als schön von Gesicht. Sie trug ein verschossenes grünes Kleid und um den Hals ein buntes Tuch von Kameelgarn. Ihre kleinen schwarzen Augen waren auf mich gerichtet, als ob sie mich einsaugen wollten.

1) Vorstand der Ortspolizei in einem Stadtviertel.

Ich trat auf sie zu und verneigte mich:

„Ich habe die Ehre, mit der Fürstin Sassékin zu reden?“

„Ich bin die Fürstin Sassékin; und Sie sind der Sohn des Herrn W.?“

„Zu dienen. Ich habe einen Auftrag von meiner Mutter an Sie auszurichten.“

„Bitte, nehmen Sie Platz! . . . Bonifazi! wo sind meine Schlüssel? Hast Du meine Schlüssel nicht gesehen?“

Ich theilte der Fürstin die Antwort meiner Mutter auf ihren Brief mit. Sie hörte mich an, indem sie mit ihren dicken, rothen Fingern auf den Fensterrahmen trommelte, und als ich geendet hatte, heftete sie wieder die Augen auf mich.

„Sehr gut; ich werde nicht verfehlen zu kommen“ — sagte sie endlich. „Aber wie jung Sie noch sind! Wie alt, wenn ich fragen darf?“

„Sechzehn Jahr,“ erwiderte ich, etwas stotternd.

Die Fürstin zog aus ihrer Tasche einige beschriebene, schmutzige Papiere, hielt sie erst dicht unter die Nase und fing dann an sie zu zerreißen.

„Ein schönes Alter!“ bemerkte sie dann plötzlich,

sich in ihrem Lehnstuhle hin- und herbewegend. — „Aber bitte, machen Sie keine Umstände mit mir. Bei mir geht es einfach her."

„Zu einfach," dachte ich, indem ich mit unwillkürlichem Ekel ihr widerwärtiges Gesicht betrachtete.

In diesem Augenblicke wurde die andere Thüre des Zimmers hastig geöffnet und auf der Schwelle erschien das junge Mädchen, welches ich Tags zuvor im Garten gesehen hatte. Sie erhob die Hand, um ihre Lippen zuckte ein Lächeln.

„Sieh, da ist auch meine Tochter," sagte die Fürstin, mit dem Zeigefinger auf sie weisend. „Sinotschka: der Sohn unsers Nachbars, des Herrn W. — Wie ist Ihr Name, wenn ich fragen darf?"

„Wladimir," gab ich zur Antwort, indem ich mich erhob und vor Aufregung lispelte.

„Und der Taufname Ihres Vaters?"

„Peter."

„Also Wladimir Petrowitsch! Sieh, sieh! Ich hatte einen guten Bekannten, der Polizeimeister war und auch Wladimir Petrowitsch hieß. Bonifazi! Such' meine Schlüssel nicht mehr: ich hab' sie in der Tasche."

Das junge Mädchen fuhr fort, mich mit dem frühern Lächeln anzusehen, wobei sie leicht blinzelte und den Kopf ein wenig auf die Seite bog.

„Ich habe Mosje Woldemar schon gesehen," hub sie an. — (Bei dem Silberklang ihrer Stimme überschauerte mich eine wonnige Kühle.) „Sie erlauben mir doch, Sie so zu nennen?"

„Ich bitte sehr" — stotterte ich.

„Wo denn?" fragte die Fürstin.

Das Fräulein gab ihrer Mutter keine Antwort.

„Sie sind jetzt beschäftigt?" hub sie wieder an, ohne mich aus den Augen zu lassen.

„Ich? O gar nicht."

„Wollen Sie mir denn helfen einen Knäuel Garn zu entwirren? Kommen Sie mit mir."

Sie machte mir ein Zeichen mit dem Kopfe und verließ den Salon. Ich folgte ihr.

In dem Zimmer, in welches wir eintraten, waren die Möbeln ein wenig besser, und mit viel Geschmack aufgestellt. Uebrigens konnte ich in jenem Augenblicke fast nichts bemerken; ich bewegte mich wie im Traume und fühlte mich in einem Zustande so völliger Glückseligkeit, daß mir der Verstand fast darüber ausging.

Die junge Fürstin setzte sich, nahm einen Knäuel rother Wolle und begann, indem sie mir einen Stuhl nahe gegenüber anwies, mit graziöser Sorgfalt den Knäuel zu lösen, den sie mir nun in die Hand legte. Sie traf diese Vorbereitungen schweigend, mit scherzender Langsamkeit und mit dem frühern schelmischen Lächeln um die halbgeöffneten Lippen. Nun fing sie an, die Wolle um eine zusammengebogene Karte zu wickeln und sah mich plötzlich mit einem so hellen und leuchtenden Blicke an, daß ich unwillkürlich den Kopf senkte. Wenn ihre gewöhnlich halbgeschlossenen Augen sich in ganzer Größe öffneten, so gewann ihr Gesicht einen völlig veränderten Ausdruck: es war ganz als ob Licht darüber ausgegossen sei.

„Was haben Sie gestern von mir gedacht, Mosje Woldemar?“ fragte sie nach einiger Zeit. — „Sie haben mich gewiß schlimm beurtheilt?“

„Ich . . . Fürstin . . . . ich habe gar nichts . . . wie könnt' ich . . .“ erwiderte ich in Verwirrung.

„Hören Sie“ — nahm sie wieder das Wort — „Sie kennen mich noch nicht: ich gehe meine eigenen Wege, ich will, daß man mir immer die Wahrheit sage. Sie sind, wie ich höre, sechzehn Jahre alt, und ich einundzwanzig: Sie sehen, daß ich viel älter bin als Sie; Sie sind deshalb verpflichtet, mir immer die Wahrheit zu sagen . . . und mir zu gehorchen," fügte sie hinzu. — „Sehen Sie mich einmal an. Warum sehen Sie mich nicht an?"

Ich wurde noch verwirrter, erhob aber doch die Augen zu ihr. Sie lächelte, aber nicht wie vorher: sie lächelte beifällig, zufrieden. — „Sehen sie mich an," sagte sie mit einschmeichelnd gesenkter Stimme: „es ist mir nicht unangenehm. Ihr Gesicht gefällt mir; ich habe ein Vorgefühl, daß wir Freunde sein werden. Aber gefall' ich Ihnen?" fügte sie schelmisch, fast boshaft, hinzu.

„Fürstin . . . ich . . ."

„Vor Allem nennen Sie mich Sinaïde Alexandrowna, und dann — was ist das doch für eine Gewohnheit bei den Kindern (sie verbesserte sich) — bei den jungen Leuten, nicht gerade herauszusagen was sie fühlen? Das ist gut für die Erwachsenen. Nicht wahr: ich gefalle Ihnen?"

Obgleich es mir sehr angenehm war, daß sie so offen mit mir sprach, so fühlte ich mich doch ein wenig beleidigt. Ich wollte ihr zeigen, daß sie es mit keinem

Knaben zu thun habe, und, eine möglichst ungezwungene und ernste Miene annehmend, sagte ich: „Sie gefallen mir in der That sehr: Sinaïde Alexandrowna, ich will Ihnen gar kein Hehl daraus machen."

Sie wiegte zu wiederholten Malen den Kopf und sagte dann plötzlich: „Sie haben einen Hofmeister?"

„O nein, ich habe schon lange keinen Hofmeister mehr." Ich log; es war noch kein Monat verflossen seit der Abreise meines Franzosen.

„Aha! ich sehe, Sie sind schon ein ganz erwachsener Mann. Halten Sie die Hände gerade!" sagte sie, indem sie mir einen leichten Schlag auf die Finger gab. Und sie machte sich sorgfältig daran den Knäuel aufzuwinden.

Ich benützte die Zeit, in welcher sie die Augen nicht aufschlug, um sie anzusehen, erst verstohlen, dann zuversichtlicher und kühner. Ihr Gesicht kam mir noch schöner vor als den Tag vorher: so war Alles darin fein, durchgeistigt und lieblich. Sie saß, den Rücken gegen das Fenster gekehrt, welches durch einen weißen Rollvorhang verhüllt war. Ein Sonnenstrahl drang durch den Vorhang und umfloß mit sanftem Lichte ihr weiches, goldiges Haar, ihren makellosen Hals, die abschüssigen Schultern und die zarte, ruhige Brust . . . Ich blickte sie an . . . wie theuer und nah war sie meinem Herzen! Es war mir, als kennte ich sie schon seit langer Zeit und als hätte ich Nichts gekannt und nicht gelebt bevor sie mir erschienen. Sie trug ein dunkles, schon etwas abgenütztes Kleid und eine Schürze; o, wie gern hätte ich jede Falte dieses Kleides und dieser Schürze geküßt! Die Spitzen ihrer Schuhe sahen unter dem Kleide hervor: ich hätte mich mit wahrer Andacht vor diesen Schuhen niedergeworfen . . . . Und da sitz' ich nun vor ihr, dachte ich, und bin bekannt mit ihr geworden . . . welch ein Glück, o mein Gott! Ich wäre beinahe vor Entzücken vom Stuhle gesprungen, doch ich begnügte mich die Füße ein wenig zu bewegen, wie die Kinder thun, wenn sie Näschereien essen.

Mir war so wohl wie dem Fisch im Wasser und ich wäre gern mein Leben lang in diesem Zimmer geblieben, ohne mich vom Platze zu rühren.

Ihre Augenlider erhoben sich sanft und wieder sah ich ihre blauen Augen vor mir strahlen, und ein Lächeln auf ihren Wangen.

„Wie Sie mich ansehen!“ — sagte sie langsam, und drohete mit dem Finger.

Ich erröthete . . . Sie versteht Alles, sie sieht Alles — schoß es mir durch den Kopf. Und wie sollte sie auch nicht Alles verstehen und wissen!

Plötzlich ließ sich im Nebenzimmer Geräusch vernehmen — ein Säbel klirrte.

„Sina!“ rief die Fürstin im Salon. „Belowserow hat Dir ein Kätzchen gebracht.“

„Ein Kätzchen!“ rief Sinaïde, und vom Stuhle aufspringend warf sie mir das Garn auf die Knie und flog davon.

Ich erhob mich ebenfalls und, den Knäuel sammt dem aufgewickelten Garn auf die Fensterbank legend, ging ich in den Salon, blieb aber verdutzt stehen. In der Mitte des Zimmers lag mit ausgestreckten Pfoten ein buntgeflecktes Kätzchen. Sinaïde kniete davor und hielt vorsichtig sein Schnäuzchen in die Höhe. Neben der Fürstin, fast den ganzen Raum zwischen beiden Fenstern einnehmend, stand ein blonder, kraushaariger, junger, flotter Husar mit rothem Gesicht und hervorstehenden Augen.

„Welch' ein drolliges Thierchen!“ rief Sinaïde, —

„und seine Augen sind nicht grau, sondern grün, und was es für große Ohren hat! Danke schön, Viktor Jegoritsch! Sie sind sehr liebenswürdig.“

Der Husar, in dem ich sofort einen der jungen Männer wiedererkannte, die ich Tags vorher gesehen hatte, lächelte und verbeugte sich scharrend, wobei er seine Sporen und die Säbelringe erklirren machte.

„Sie beliebten gestern zu sagen, daß Sie ein geflecktes Kätzchen mit großen Ohren zu haben wünschten . . . und so hab' ich mir die Freiheit genommen. Ein Wort, ein Mann!“ Und wiederum verbeugte er sich, mit den Füßen scharrend.

Das Kätzchen fing leise an zu miauen und den Fußboden zu beriechen.

„Es ist hungrig,“ rief Sinaïde. — „Bonifazi! Ssonja! bringt Milch!“

Eine Kammerjungfer in einem alten gelben Kleide und mit einem verschossenen Tuche um den Hals, trat ein, in der Hand ein Schälchen mit Milch tragend, welches sie vor dem Kätzchen niedersetzte. Dieses zitterte, schloß die Augen und fing an zu lecken.

„Welch eine rosige Zunge es hat,“ bemerkte Sinaïde, ihren Kopf fast bis zum Fußboden neigend und das Kätzchen von der Seite bis unter die Nase betrachtend.

Das Kätzchen trank sich satt und fing an zu knurren, geziert die Pfötchen bewegend. Sinaïde stand auf und sagte in gleichgiltigem Tone zur Kammerjungfer: „Trag' es fort."

„Bekomm' ich eine Hand für das Kätzchen?" fragte der Husar lächelnd, seinen mächtigen Körper streckend, dem die neue Uniform etwas enge saß.

„Beide" — entgegnete Sinaïde, ihm ihre Hände hinreichend. Während er Küsse darauf drückte, sah sie nach mir über die Schulter weg.

Ich stand noch unbeweglich auf dem alten Flecke und wußte nicht, ob ich lächeln, reden oder schweigen sollte. Plötzlich fiel mir durch die geöffnete Thüre des Vorzimmers die Gestalt unseres Lakaien Fedor in die Augen. Er machte mir ein Zeichen und maschinenmäßig ging ich auf ihn zu.

„Was willst Du?" fragte ich.

„Ihre Mama hat mich nach Ihnen geschickt" — antwortete er flüsternd. „Sie ist böse, daß Sie mit der Antwort so lange warten lassen.

„Ja, bin ich denn schon lange hier?"

„Ueber eine Stunde."

„Ueber eine Stunde!" wiederholte ich unwillkürlich und, in den Salon zurückkehrend, begann ich mich zu verneigen und mit den Füßen zu scharren.

„Wohin?" fragte mich die hinter dem Husaren stehende junge Fürstin.

„Ich muß nach Haus. „Ich darf also bestellen" — fuhr ich, zur alten Fürstin gewendet, fort — „daß Sie uns um ein Uhr Ihren Besuch schenken?"

„Ich bitte darum, junger Herr."

Die Fürstin griff hastig nach ihrer Tabaksdose und nahm so geräuschvoll eine Prise, daß ich förmlich vor Staunen zitterte. „Ich bitte darum" — wiederholte sie, mit thränenden Augen blinzelnd, hustend und niesend.

Ich machte noch einmal meine Verbeugung, kehrte dann um und verließ das Zimmer mit jenem Gefühl der Unbehaglichkeit im Rücken, welches ein sehr junger Mensch zu haben pflegt, wenn er weiß, daß man ihm mit den Augen folgt.

„Vergessen Sie nicht, uns zu besuchen, Mosje Woldemar" — rief Sinaïde und fing wieder an zu lachen.

„Warum lacht sie nur immer?" dachte ich, als ich in Begleitung Fedors nach Haus ging, der nichts sagte, mich aber wenig tröstlich ansah. Meine Mutter schalt mich aus und konnte nicht begreifen, was mich nur so lange bei dieser Fürstin zurückgehalten. Ich ließ mich in keine Erörterungen ein und suchte mein Zimmer auf. Plötzlich wurde mir sehr traurig zu Muthe . . . Ich hatte Mühe, die Thränen zurückzuhalten . . . Ich war eifersüchtig auf den Husaren.

V.

Die Fürstin machte meiner Mutter ihre Aufwartung, gefiel ihr aber nicht. Ich war bei dem Besuch nicht zugegen, aber bei Tisch bemerkte meine Mutter meinem Vater, daß diese Fürstin Sassékin „une femme très vulgaire" zu sein schiene; daß sie sehr von ihr gelangweilt worden sei durch ihre Bitten, sich bei dem Fürsten Sergéj für sie zu verwenden; daß sie in lauter widerwärtigen Verlegenheiten stecke, „de vilaines affaires d'argent" habe und eine große Zungendrescherin sein müsse. Meine Mutter fügte hinzu, daß sie trotzdem die Fürstin nebst Tochter auf morgen zum Essen eingeladen habe (als ich die Worte

„nebst Tochter" hörte, steckte ich die Nase in meinen Teller), da sie doch einmal unsere Nachbarin und betitelt sei. Hierauf erwiderte mein Vater, daß er sich jetzt erinnere, wer diese Dame sei; daß er in der Jugend den verstorbenen Fürsten Sassékin gekannt habe, einen sehr feingebildeten, aber leichtsinnigen und oberflächlichen Mann, den man in der Gesellschaft immer „le Parisien" nannte, weil er lange Zeit in Paris gelebt hatte. Der Erbe großer Reichthümer, habe er sein ganzes Vermögen im Spiel verloren und kurze Zeit nachher (man wisse nicht recht warum, vielleicht um wieder zu Gelde zu kommen, jedenfalls hätte er eine bessere Wahl treffen können, fügte mein Vater mit kühlem Lächeln hinzu), die Tochter eines untergeordneten Kanzleibeamten geheirathet, und sich darauf in Spekulationen eingelassen, die ihn völlig zu Grunde richteten.

„Wenn sie mir nur nicht mit Geldanliegen kommt," sagte meine Mutter.

„Das wäre sehr möglich" — entgegnete ruhig mein Vater. „Spricht sie französisch?"

„Sehr schlecht."

„Hm! Na, das ist übrigens gleichgiltig. Ich

glaube, Du sagtest mir, daß Du auch ihre Tochter mitgebeten habest; das soll eine sehr liebenswürdige und feingebildete junge Dame sein."

„Was Du sagst! Dann artet sie wohl nicht nach der Mutter."

„Und auch nicht nach dem Vater; der war allerdings sehr gebildet, aber dumm."

Meine Mutter seufzte und verfiel in Nachdenken. Mein Vater schwieg. Mir war bei dieser Unterhaltung sehr unheimlich zu Muthe.

Nach Tisch ging ich in den Garten, aber ohne Flinte. Ich hatte mir vorgenommen, mich dem Sassékin'schen Garten nicht zu nähern, allein unwiderstehlich zog es mich hin — und nicht vergebens. Kaum war ich an den Zaun gekommen, als ich Sinaïde erblickte. Diesmal war sie allein. Ein Buch in der Hand ging sie langsam den schattigen Weg entlang. Sie bemerkte mich nicht.

Ich wollte mich heimlich wieder entfernen, besann mich aber eines Andern und fing an zu husten.

Sie wandte sich um, aber ohne stehen zu bleiben, warf mit der Hand das breite blaue Band ihres runden Strohhutes zurück, sah mich ruhig lächelnd an und heftete die Augen wieder auf ihr Buch.

Ich nahm meine Mütze ab, blieb einen Augenblick stehen und ging dann mit schwerem Herzen weiter. „Que suis-je pour elle?“ dachte ich (Gott weiß warum) auf französisch.

Ich hörte bekannte Tritte hinter mir, sah mich um, und auf mich zu kam mit seinem raschen und leichten Gange mein Vater.

„Ist das die junge Fürstin?“ fragte er mich.

„Jawohl.“

„Kennst Du sie?“

„Ich habe sie heute bei ihrer Mutter gesehen.“

Mein Vater blieb stehen, drehte sich dann rasch auf der Ferse um und ging zurück. Als er Sinaïde nahe gekommen war, grüßte er sie sehr höflich. Sie erwiderte seinen Gruß; ein Ausdruck des Staunens flog über ihre Züge und sie senkte ihr Buch. Ich sah, wie sie meinem Vater mit den Augen folgte. Er trug sich immer sehr elegant, obgleich einfach und geschmackvoll; allein niemals erschien mir seine edle Gestalt vortheilhafter, niemals saß sein grauer Hut

13*

hübscher auf seinem noch in jugendlicher Fülle gelockten Haare.

Ich näherte mich auf's Neue Sinaïden, allein sie beachtete mich gar nicht, nahm ihr Buch wieder vor die Augen und ging weiter.

VI.

Den ganzen Abend und folgenden Morgen verbrachte ich in stummer Niedergeschlagenheit. Ich erinnere mich noch, daß ich versuchte zu arbeiten und Kaidanow's Geschichte zur Hand nahm — aber die Paragraphen und Seiten des Lehrbuchs schwebten eindruckslos an meinen Augen vorüber. Wohl mehr als zehnmal las ich die Worte: „Julius Cäsar zeichnete sich durch die Kühnheit seiner militärischen Unternehmungen aus" — ich verstand nichts und warf das Buch bei Seite. Vor Tisch strich ich mir wieder Pomade in die Haare, band wieder mein Halstuch um und zog meinen Rock an.

„Wozu das?" fragte meine Mutter. „Du bist noch kein Student, und Gott weiß, ob Du Dein Examen bestehen wirst. Dann ist Deine Jacke auch noch ganz neu und zu gut, um bei Seite geworfen zu werden."

„Wir haben ja Gäste heute“ — stammelte ich halb in Verzweiflung.

„Dummes Zeug! Das sind mir schöne Gäste!“

Da half kein Widersprechen. Ich zog meine Jacke wieder an, behielt aber das Halstuch. Die Fürstin und ihre Tochter erschienen eine halbe Stunde vor dem Diner. Die Alte trug über ihrem, mir schon bekannten, grünen Kleide einen gelben Shawl, und hatte den Kopf mit einer altmodischen Mütze geschmückt, umflattert von feuerrothen Bändern. Sie fing gleich wieder an von ihren Wechseln zu sprechen, seufzte, klagte über ihre Armuth, brachte allerlei Wünsche und Anliegen vor und genirte sich nicht im Geringsten. Ebenso geräuschvoll wie sie ihren Tabak schnupfte, keuchte und bewegte sie sich in ihrem Stuhle umher. Ihre fürstliche Würde machte ihr offenbar wenig Sorge. Sinaïde dagegen zeigte in ihrem Benehmen den strengsten Anstand, fast Hochmuth; sie war eine wahrhaft fürstliche Erscheinung. Im Gesichte drückte sich eine kalte Gemessenheit und Würde aus. Ich kannte sie nicht wieder: dieser Blick, dieses Lächeln war mir fremd, obgleich sie mir auch so bezaubernd erschien. Sie trug ein leichtes Barègekleid mit mattblauen Streifen; ihre Haare fielen in langen Locken über ihre Wangen, nach englischer Art, was zu dem kalten Ausdruck ihres Gesichtes sehr gut stand. — Mein Vater saß bei Tisch neben ihr und unterhielt sie mit der ihm eigenen ruhigen und feinen Höflichkeit. Er sah sie zuweilen an, und sie sah ihn an, aber mit einem seltsamen, fast feindlichen Ausdruck. Sie sprachen französisch zusammen. Ich erinnere mich, daß mir die reine Aussprache Sinaïdens auffiel.

Die alte Fürstin genirte sich bei Tisch so wenig wie vorher; sie aß viel und lobte Alles was sie aß. Meine Mutter fühlte sich augenscheinlich durch sie gelangweilt und beantwortete ihre Fragen mit einer gewissen melancholischen Geringschätzung. Mein Vater runzelte hin und wieder in fast unmerklicher Weise die Stirne.

Sinaïde gefiel meiner Mutter auch nicht. — „Wie hoch sie ihr Näschen trägt" — sagte sie am folgenden Tage. — „Seht mir solchen Hochmuth! Worauf die wohl stolz sein mag — avec sa mine de grisette!"

„Du hast offenbar noch keine Grisette gesehen" — bemerkte ihr mein Vater.

„Nein, Gott sei Dank, nicht."

„Natürlich, Gott sei Dank! Aber wie kannst Du denn so urtheilen?"

Mir erwies Sinaïde entschieden nicht die geringste Aufmerksamkeit. Bald nachdem man sich vom Tische erhoben hatte, verabschiedete sich die Fürstin.

„Ich rechne auf Ihren Schutz, Maria Nikolajewna und Peter Wassiljewitsch," sagte sie in flehentlichem Tone zu meiner Mutter und meinem Vater. — „Was bleibt mir sonst zu thun? Ich habe auch meine guten Tage gehabt, aber sie sind vorüber. Da nennt man mich nun Erlaucht" — sagte sie mit widerwärtigem Lächeln —, „eine schöne Ehre, wenn einem das liebe Brot mangelt!"

Mein Vater machte ihr eine sehr ehrerbietige Verbeugung und begleitete sie bis an die Thüre des Vorzimmers. Ich stand dort ebenfalls in meinem Jäckchen, die Augen auf den Boden geheftet wie ein zum Tode Verurtheilter. Sinaïdens Benehmen gegen mich hatte mich förmlich vernichtet. Wie erstaunte ich danach, als sie, an mir vorbeigehend, mit der ganzen früheren Freundlichkeit ihres einschmeichelnden Wesens mir eilig zuflüsterte: „Kommen Sie um acht Uhr; hören Sie, aber bestimmt!"

Ich erhob die Hände — aber sie war schon verschwunden, nachdem sie eine weiße Schärpe über den Kopf geworfen hatte.

VII.

Schlag acht Uhr trat ich, im Ueberrock, die Kravatte sorgfältig geknüpft und die Haare über die Stirn unternehmend in die Höhe gestrichen, in das Vorzimmer des von der Fürstin bewohnten Flügels. Der alte Diener sah mich gar nicht freundlich an und erhob sich unwillig von seiner Bank. Im Salon erschallten fröhliche Stimmen. Ich öffnete die Thüre und prallte vor Staunen zurück. In der Mitte des Zimmers, auf einem Stuhle stand die junge Fürstin und hielt vor sich einen Männerhut; um den Stuhl herum drängten sich fünf junge Leute. Diese versuchten der Reihe nach die Hand in den Hut zu stecken, während sie ihn in die Höhe hielt und heftig schüttelte. Als sie meiner ansichtig wurde, rief sie: „Halt, halt! da kommt ein neuer Gast, dem müssen wir auch einen Zettel geben.“ — Und leicht vom Stuhle herunterspringend, faßte sie mich beim Aufschlag meines Rocks. — „Kommen Sie doch,“ sagte sie — „was stehen Sie da? Meine Herren, erlauben Sie mir, Ihnen Herrn Woldemar, den Sohn unsers Nachbarn vorzustellen. Und diese Herrn sind" (fuhr sie, zu mir gewendet, fort, der Reihe nach auf Jeden deutend) Graf Malewski, Dr. Luschin, der Dichter Maidanow, der Hauptmann a. D. Nirmatski, und Belowserow, der Husar, den Sie schon gesehen haben."

Ich war in solcher Verwirrung, daß ich Niemand grüßte. In Dr. Luschin erkannte ich den Schwarzkopf wieder, der mich im Garten so unbarmherzig angefahren hatte; die Andern waren mir völlig fremd.

„Graf" — sagt Sinaïde — „schreiben Sie einen Zettel für Monsieur Woldemar."

„Das ist ungerecht" — erwiderte mit leisem polnischen Accent der Graf, ein sehr hübscher und eleganter junger Mann mit braunen Haaren, schwarzen, ausdrucksvollen Augen, einem schmalen, weißen Näschen und einem feinen Schnurrbarte über dem kleinen Munde — „er hat an unserm Pfänderspiele nicht theilgenommen."

„Es ist ungerecht," wiederholten Belowserow und

der Herr, welcher mir als Hauptmann a. D. vorgestellt war, ein vierschrötiger Mann von etwa vierzig Jahren, mit einem von Pockennarben ganz entstellten Gesichte, krausköpfig wie ein Araber, krummbeinig, mit einem Uniformrock ohne Epauletten und aufgeknöpft.

„Schreiben Sie einen Zettel, sag' ich Ihnen," wiederholte die junge Fürstin. „Was ist das für eine Auflehnung! Monsieur Woldemar befindet sich das erste Mal unter uns und heute macht er eine Ausnahme von der Regel. Nicht gemurrt; schreiben Sie; ich will es!"

Der Graf zuckte die Achseln, neigte aber ehrerbietig den Kopf, nahm eine Feder in die weiße, mit Ringen geschmückte Hand, riß ein Stück Papier ab und fing an zu schreiben.

„Erlauben Sie wenigstens, Herrn Woldemar zu erklären, um was es sich hier handelt" — sagte Luschin mit spöttischem Tone — „er steht ja ganz verblüfft da. Sehen Sie, junger Mann, wir spielen um Pfänder: Eins gewinnt, die Andern sind Nieten. Wer so glücklich ist, den richtigen Zettel aus dem Hute zu ziehen, hat das Recht, der Fürstin die Hand zu küssen. Haben Sie mich verstanden?"

Ich sah ihn nur an und blieb wie versteinert stehen, während die junge Fürstin wieder auf den Stuhl sprang und abermals die Zettel in dem Hute zu schütteln begann. Alle umdrängten sie, und ich gesellte mich zu ihnen.

„Maidanow" — sagte Sinaïde zu einem hochgewachsenen jungen Manne mit hagerem Gesichte, kleinen, matten Augen und sehr langen schwarzen Haaren — „Sie, als Poet, sollten großmüthig sein und Ihren Zettel an Mosje Woldemar abtreten, damit er zwei Chancen für eine habe."

Allein Maidanow schüttelte ablehnend mit dem Kopfe, daß seine langen Haare nur so umherflatterten. Ich kam zuletzt an die Reihe, einen Zettel aus dem Hute zu ziehen, öffnete ihn und . . . Himmel! wie wurde mir, als ich die Worte darauf las: ein Kuß!

„Ein Kuß!" rief ich unwillkürlich.

„Bravo! er hat gewonnen," erwiderte die junge Fürstin. — „Wie mich das freut!" Sie stieg vom Stuhle herunter und sah mir so klar und süß in die Augen, daß das Herz mir vor Freude hüpfte.

„Und Sie, freuen Sie sich auch?" fragte sie.

„Ich?" . . . stammelte ich.

„Verkaufen Sie mir Ihren Zettel!“ schrie mir Belowserow dicht in die Ohren. — „Ich gebe Ihnen hundert Rubel dafür.“

Ich antwortete dem Husaren mit einem so unwilligen, strafenden Blicke, daß Sinaïde die Hände zusammenschlug und Luschin ausrief: „Ein Teufelskerl! Aber“ — fuhr er fort — „in meiner Eigenschaft als Ceremonienmeister, bin ich verpflichtet darauf zu sehen, daß Alles nach den Regeln vor sich gehe. Mosje Woldemar, lassen Sie sich auf ein Knie nieder; so ist es Vorschrift bei uns.“

Sinaïde stand vor mir, neigte den Kopf ein wenig auf die Seite, wie um mich besser zu beobachten, und reichte mir mit würdevollem Anstande ihre Hand. Mir schwamm es nur so vor den Augen. Ich wollte ein Knie beugen, fiel aber auf beide nieder und preßte meine Lippen so linkisch auf Sinaïdens Finger, daß ich mir an einem ihrer Nägel leicht die Nasenspitze ritzte.

„Vortrefflich!“ rief Luschin, und half mir wieder aufzustehen.

Das Pfänderspiel wurde fortgesetzt. Sinaïde wies mir einen Platz neben sich an. Was sie alles für Strafen erfand! Als sie verurtheilt wurde, eine Statue vorzustellen, wählte sie sich den häßlichen Nirmatzki zum Piedestal aus. Er mußte sich auf alle Viere hinstrecken und noch obendrein den Kopf unter die Brust zwängen. Das unbändige Lachen wollte kein Ende nehmen. Mir, dem bis dahin einsam und nüchtern erzogenen Jungen, der ich in einem ehrbaren herrschaftlichen Hause aufgewachsen war — mir stieg dieser Lärm, diese Ungebundenheit, dieses fast übermäßig lustige Treiben, dieser ungewohnte Verkehr mit fremden Menschen gewaltig zu Kopfe. Ich war geradezu berauscht, als ob ich Wein getrunken hätte. Ich lachte und lärmte noch lauter als die Andern, so daß selbst die alte Fürstin, welche im Nebenzimmer mit irgendeinem Beamten von der Iwerskoi'schen Pforte [1]) saß, dessen Rath sie in Anspruch nehmen wollte, herauskam, um nach mir zu sehen. Aber ich fühlte mich dermaßen glücklich, daß

---

[1]) Diese zum Kreml führende Pforte befindet sich nicht weit von den Tribunalen, wo mehr oder minder anrüchige Geschäftsleute ihre Zusammenkünfte halten, um unsaubere Geschäfte und Prozesse zu bereinigen, wobei sie mehr Gewandtheit als Ehrlichkeit zu entwickeln pflegen.

es mir völlig gleichgiltig war, wie man sich über mich lustig machte und mich schief anblickte. Sinaïde fuhr fort mich zu bevorzugen und ließ mich nicht von ihrer Seite. Bei einer Strafe, zu welcher wir verurtheilt wurden, mußte ich mich neben sie setzen, wobei unsere beiden Köpfe mit einem und demselben seidenen Tuche verhüllt wurden. In dieser Stellung sollte ich ihr „mein Geheimniß" anvertrauen. Ich erinnere mich noch, wie unsere beiden Köpfe plötzlich in einer schwülen, halbdurchsichtigen, duftigen Dunkelheit zusammenkamen, und wie in dieser Dunkelheit ihre Augen mir so nahe und sanft leuchteten, und wie glühend es mich aus ihren geöffneten Lippen anwehete, und wie die Spitzen ihrer Haare mir die Wange kitzelten. Sie lächelte geheimnißvoll und flüsterte schmeichelnd nach einiger Zeit: „Nun, wird's bald?" Ich aber erröthete und lachte und bewegte mich verwirrt hin und her, und konnte kaum Athem holen . . .

Des Pfänderspiels nachgerade überdrüssig geworden, fingen wir das Bandspiel [1]) an. Himmel, in

[1]) Eine Anzahl von Personen bildet einen Kreis, die Hand auf ein Band oder einen Bindfaden haltend. Eine andere

welchem Entzücken war ich, als ich in meiner Zerstreutheit von ihr einen kräftigen Schlag auf die Hand erhielt! und welche Mühe gab ich mir von dem Augenblicke an immer zerstreut zu erscheinen, allein sie war neckisch und boshaft genug, meine Hand nicht mehr zu berühren.

Was wurde im Laufe dieses Abends nicht noch Alles vorgenommen! Wir spielten Klavier, wir sangen, wir tanzten, und stellten ein Zigeunerlager dar. Nirmatzki wurde dabei als Bär vermummt und mußte Wasser mit Salz trinken. Graf Malewski zeigte uns verschiedene Kartenkunststücke und endigte damit, daß er, die Karten zum Whist mischend, sich alle Atouts gab, wozu Luschin „sich die Ehre gab, ihm zu gratuliren." Maidanow deklamirte uns Fragmente aus seinem Gedichte „der Mörder" (wir steckten damals noch mitten in der Romantik), welches er beabsichtigte in schwarzem Einbande mit blutrothem Titel erscheinen zu lassen. Dem vorhin erwähnten Beamten von der Iwerskoi'schen Pforte

Person, welche in der Mitte des Kreises steht, sucht die Hände der Umstehenden zu treffen.

wurde sein Hut von dem Kamin wegstibitzt und er mußte, um ihn wieder zu erhalten, die „Kasatschka“ tanzen. Den alten Bonifazi koiffirte man mit einer Frauenmütze und die junge Fürstin bekam einen Herrenhut auf den Kopf. Kurz, die Ausgelassenheit wollte kein Ende nehmen. Nur Belowserow theilte die allgemeine Heiterkeit nicht. Er saß fast immer in einem Winkel allein, finster und gereizt... Zuweilen kam Blut in seine Augen, er wurde über und über roth und sah aus, als ob er sich jählings auf uns stürzen und uns wie Spreu nach allen Seiten zerstreuen wolle; aber die junge Fürstin warf ihm einen Blick zu, drohete mit dem Finger, und er zog sich grollend wieder in seine Ecke zurück.'

Endlich hörten wir vor Erschöpfung auf. Die Fürstin konnte schon etwas vertragen, wie sie sich selbst ausdrückte, Schreien und Lärmen brachte sie nicht so leicht aus der Fassung, allein auch sie fühlte zuletzt Müdigkeit und verlangte nach Ruhe. Gegen Mitternacht wurde das Abendessen aufgetragen, bestehend aus einem alten, trockenen Stück Käse und Gott weiß was für kalten Pastetchen mit gehacktem Schinken, die mir schmackhafter vorkamen als die auserlesensten Gerichte. Wein kam nur eine Flasche auf den Tisch, die seltsam genug aussah: ganz dunkel, mit dickem Halse; der Wein darin schien von rother Farbe zu sein, wurde übrigens von Niemanden getrunken.

Müde und glücklich bis zur Erschöpfung verließ ich die nachbarliche Wohnung: beim Abschiede drückte mir Sinaïde kräftig die Hand und lächelte mich wieder räthselhaft an.

Die Nachtluft schlug schwer und feucht auf mein glühendes Gesicht; ein Gewitter schien im Anzuge zu sein; schwarze Wolken stiegen auf und breiteten sich langsam über den Himmel hin, ihre verschwimmenden Umrisse jeden Augenblick wechselnd. Ein leichter Wind raschelte durch die dunklen Bäume, und fern am Horizonte rollte dumpf der Donner, als ob er mit sich selber grollte.

Durch den hintern Hauseingang gelangte ich in mein Zimmer. Fedor schlief auf dem Fußboden und ich war genöthigt über ihn wegzusteigen. Er wachte auf, sah mich und theilte mir mit, daß meine Mutter wieder böse auf mich gewesen sei und nach mir habe schicken wollen, daß aber mein Vater sie davon abgehalten habe. Ich legte mich sonst nie schlafen ohne meiner Mutter gute Nacht zu wünschen und sie um ihren Segen zu bitten. Allein es war nichts mehr zu machen!

Ich sagte dem Diener, daß ich mich selbst entkleiden und niederlegen werde — und löschte das Licht aus. Ich zog mich weder aus, noch legte ich mich in's Bett.

Ich setzte mich auf einen Stuhl und saß dort lange wie verzaubert. Was ich fühlte, war mir so neu und süß .... Ich saß, kaum aufblickend und unbeweglich, langsam Athem holend; bald lachte ich schweigend vor mich hin, bald durchschauerte es mich kalt bei dem Gedanken, daß ich verliebt sei, daß die Liebe mit aller Macht über mich gekommen. Das Bild Sinaïdens schwebte sanft vor mir in der Dunkelheit — da schwebt' es und wollte nicht verschwinden; ihre Lippen lächelten wieder eben so räthselhaft, ihre Augen sahen mich von der Seite an mit demselben fragenden, nachdenklichen und zärtlichen Ausdruck wie in dem Augenblicke, da ich mich von ihr verabschiedete. Endlich stand ich auf, ging auf den Zehen an mein Bett und legte vorsichtig, ohne mich auszukleiden,

den Kopf auf's Kissen, als ob ich gefürchtet hätte, durch eine heftige Bewegung zu stören was in mir vorging und mich erfüllte.

Ich legte mich nieder, aber ohne die Augen zu schließen. Bald bemerkte ich, daß der matte Wiederschein eines Lichtschimmers andauernd in mein Zimmer fiel. Ich erhob mich im Bette und sah durch das Fenster, dessen Querholz sich deutlich von den geheimnißvoll und mattschimmernden Scheiben abzeichnete. Das ist ein Gewitter, dachte ich, und in der That war es ein Gewitter; aber es zog in weiter Ferne vorüber, so daß selbst der Donner nicht zu hören war; nur zuckten zuweilen am Himmel matte, lange, zackige Blitzstrahlen auf, die weniger leuchteten als krampfhaft zitterten, wie die Flügel eines sterbenden Vogels.

Ich stand auf, trat an's Fenster und blieb dort stehen bis zum Morgen. Das Blitzen währte in Einem fort; es war, wie das Volk bei uns sagt: ein rechtes Sperlingswetter. Ich schaute hinaus auf die öde Sandfläche, auf die dunkle Masse, welche den Park von Neskuschnoj bildete, auf die gelben Façaden der fernen Gebäude, welche bei jedem schwachen

14*

Aufflammen des Blitzes zu erzittern schienen. Ich schaute hinaus — und konnte mich nicht wieder losreißen; dieses fortwährende Auflodern, diese stummen Blitze entsprachen, so schien es mir, den stummen und geheimnißvollen Regungen, welche mich durchzuckten. Der Tag brach an; purpurn erschimmerte die Morgenröthe, die mit dem Steigen der Sonne erbleichte, gleichwie die Blitze immer matter und kürzer wurden, immer seltener aufzuckten und endlich ganz aufhörten, verschlungen von dem vernichtenden und und siegreichen Lichte des anbrechenden Tages . . .

Und die Blitze in meiner Brust hörten auch auf. Ich fühlte eine große Mattigkeit und Ruhe . . . aber das Bild Sinaïdens schwebte immer noch feierlich vor meiner Seele. Allein dieses Bild selbst erschien ruhiger; wie der Schwan, der sich zum Fluge erhebt und die Sumpfgewächse verläßt, hatte es sich abgelöst von den andern, weniger anziehenden Figuren, die es umgaben, und beim Einschlafen richtete ich zum letzten Mal an dieses von mir vergötterte Bild, zum Abschied die hingebende Verehrung meines Herzens.

O, sanfte Empfindungen, süße Töne, Güte und Beruhigung eines gerührten Herzens, verschämte

Freuden der ersten Regungen der Liebe, — wo seid Ihr, wo seid Ihr?

VIII.

Am folgenden Morgen, als ich zum Thee kam, schalt mich meine Mutter aus — weniger jedoch als ich erwartet hatte — und hieß mich ihr erzählen was wir den Abend hindurch getrieben hatten. Ich antwortete ihr nur in wenig Worten, ließ viele Einzelheiten aus und bemühete mich, dem Ganzen einen möglichst unschuldigen Anstrich zu geben.

Sag', was Du willst, bemerkte meine Mutter; es sind keine Leute comme il faut, und Du konntest was Besseres thun als deine Zeit dort zu verlieren; Du solltest Dich lieber auf Dein Examen vorbereiten.

Da ich wußte, daß die Besorgniß meiner Mutter wegen meiner Beschäftigungen sich auf diese wenigen Worte beschränkte, so hielt ich es nicht für nöthig, etwas darauf zu erwidern; aber nach dem Thee nahm mich mein Vater unter den Arm, ging mit mir in den Garten und befahl mir, ihm Alles zu erzählen, was ich bei den Sassékin's gesehen hatte.

Mein Vater übte auf mich einen seltsamen Einfluß, und ein seltsames Verhältniß bestand zwischen uns. Er bekümmerte sich fast gar nicht um meine Erziehung, sprach sogar selten mit mir; allein er legte mir auch keinerlei Zwang auf und hütete mich vor Allem was mich beleidigen oder demüthigen konnte. Er achtete meine Freiheit — er war sogar, wenn ich mich so ausdrücken darf, höflich gegen mich; dennoch hielt er mich immer in einer gewissen Entfernung. Ich liebte ihn, ich war Feuer und Flamme für ihn, der mir als das Musterbild eines Mannes erschien, und Gott weiß wie glühend ich mich ihm angeschlossen haben würde, wenn ich nicht immer dieser Hand begegnet wäre, die mich unbarmherzig von sich fernhielt! Dabei konnte er, wenn er wollte, fast augenblicklich, durch ein einziges Wort, eine einzige Bewegung mir das unbedingteste Vertrauen zu sich einflößen. Meine Seele erschloß sich — ich scherzte mit ihm wie mit einem überlegenen Freunde, oder einem herablassenden Vorgesetzten . . . Dann ließ er mich ebenso plötzlich wieder fallen, und seine Hand stieß mich zurück, allerdings in freundlicher Weise, aber — sie stieß mich zurück.

Zuweilen überkam ihn eine fröhliche Stimmung

und dann konnte er mit mir spielen und springen wie ein Kind, denn er war ein Freund von körperlichen Uebungen jeder Art. Einmal — nur Einmal! — war er so freundlich und zärtlich mit mir, daß mir beinahe die Thränen in die Augen kamen. Allein seine fröhlichen wie zärtlichen Stimmungen ließen keine Spuren zurück, und nichts was zwischen uns vorfiel, berechtigte mich zu irgendwelchen Hoffnungen für die Zukunft: es war, als ob mir Alles nur im Traum erschienen wäre.

Wenn ich sein kluges, schönes und belebtes Gesicht sah, schlug mir das Herz hochauf und fühlte sich mein ganzes Sein zu ihm hingezogen . . . Er schien dann wohl zu fühlen, was in mir vorging, allein er begnügte sich, mir im Vorbeigehen die Wange zu streicheln und sich zu entfernen, oder irgend eine Beschäftigung vorzunehmen, oder auch seinem Gesichte einen eiskalten Ausdruck zu geben, wie nur er das in solcher Weise konnte; wonach ich mich dann jedesmal in mich zurückzog und mich wie mit kaltem Wasser übergossen fühlte. Die seltenen Anflüge von Freundlichkeit, welche er mir zeigte, wurden niemals durch meine stummen, aber verständlichen Bitten hervorgerufen: sie kamen immer ganz unerwartet. Als ich später tiefer über den Charakter meines Vaters nachdachte, kam ich zu dem Schlusse, daß er sich wenig aus mir und aus dem Familienleben machte: er suchte seine Vergnügungen anderswo und liebte den Genuß zu erschöpfen. „Nimm, was Du bekommen kannst, aber laß Dich nicht erwischen; gehöre Dir selbst an" sagte er eines Tages zu mir. — „Darin liegt das ganze Geheimniß des Lebens." Ein anderes Mal, da ich in meiner Eigenschaft als junger Demokrat in seiner Gegenwart über die Freiheit sprach (er war an dem Tage, wie ich es nannte „gut", in einer Stimmung, in welcher man über alles Mögliche mit ihm sprechen konnte), rief er: Freiheit? Weißt Du denn auch wohl, wie der Mensch zur Freiheit gelangen kann?

Wodurch denn?

Durch den Willen, durch den eigenen festen Willen, der auch die Macht gibt, welche noch besser ist als die Freiheit. Verstehe zu wollen, und Du wirst frei sein und befehlen.

Mein Vater wollte vor Allem, und über Alles, leben, und er lebte ... Vielleicht hatte er eine

Ahnung, daß es ihm nicht lange vergönnt sein sollte, aus dem Geheimniß des Lebens Nutzen zu ziehen: er starb im Alter von zwei und vierzig Jahren.

Ich erzählte ihm alle Einzelheiten meines Besuchs bei Sassékin's. Er hörte mir halb aufmerksam, halb zerstreut zu, auf einer Bank sitzend und mit dem Ende seiner Reitgerte in den Sand zeichnend. Er lächelte hin und wieder, sah mich auch wohl ausforschend und scherzhaft an und reizte mich durch kurz hingeworfene Fragen und Bemerkungen. Ich wollte Anfangs selbst Sinaïdens Namen nicht aussprechen, aber ich konnte nicht an mich halten und rühmte sie über die Maßen. Mein Vater hörte mich lächelnd bis zu Ende. Dann wurde er nachdenkend, streckte sich und stand auf.

Ich erinnerte mich, daß er, als er mit mir das Haus verließ, befohlen hatte, ein Pferd zu satteln. Er war ein ausgezeichneter Reiter, und verstand — lange vor Mr. Rarey — die wildesten Pferde zu zähmen.

Darf ich mitreiten, Papa? — fragte ich ihn.

Nein — erwiderte er, und sein Gesicht nahm den gewohnten gleichgiltig freundlichen Ausdruck an. —

Reite allein, wenn Du willst, und sag dem Kutscher, daß ich zu Hause bleiben werde.

Er drehete mir den Rücken zu und ging mit raschen Schritten davon. Ich folgte ihm mit den Augen — er verschwand hinter der Pforte; an seinem Hute, welcher sich die Hecke entlang bewegte, sah ich, daß er zu Sassékin's ging.

Er blieb bei ihnen nicht länger als eine Stunde, machte aber dann gleich einen Gang in die Stadt und kam erst gegen Abend nach Hause zurück.

Nach Tisch ging ich selbst zu Sassékin's. Im Salon traf ich die alte Fürstin allein. Bei meinem Anblick kratzte sie sich mit einer Stricknadel unter der Haube auf dem Kopfe herum und fragte mich plötzlich, ob ich ihr nicht eine Bittschrift abschreiben könne.

Mit Vergnügen! erwiderte ich, und setzte mich auf den Rand eines Stuhles.

Machen sie aber ja recht deutliche Buchstaben — bemerkte die Fürstin, indem sie mir ein schmutziges Blatt Papier reichte. Und wär' es nicht möglich, daß ich die Abschrift heute schon bekäme?

Ich werd' es noch heute abschreiben.

Die Thüre des Nebenzimmers öffnete sich ein wenig und dazwischen erschien Sinaïde, bleich, nachdenklich, mit nachläßig zurückgeworfenen Haaren; sie sah mich mit großen kalten Augen an und verschwand wieder, die Thüre leise hinter sich schließend.

Sina! hör doch, Sina! rief die Alte. Aber Sinaïde antwortete nicht.

Ich nahm die Bittschrift mit nach Hause und brachte die ganze Nacht damit zu, sie abzuschreiben.

IX.

An diesem Tage begann meine „Leidenschaft." Ich erinnere mich, daß mir damals zu Muthe war ähnlich wie einem Manne zu Muthe sein muß, der zum Erstenmal ein Amt antritt. Ich hatte aufgehört blos ein junger Mensch zu sein: ich war ein Verliebter. Ich habe gesagt, daß an jenem Tage meine Leidenschaft anfing; ich hätte hinzufügen können, daß an demselben Tage auch meine Leiden anfingen. Ich verzehrte mich vor Gram in Sinaïdens Abwesenheit. Nichts ging mir in den Kopf, nichts konnt' ich festhalten was ich aufnahm, ganze Tage lang waren meine Gedanken nur mit ihr beschäftigt.

Ich verzehrte mich fern von ihr . . . aber auch in ihrer Gegenwart wurde es mir nicht leichter um's Herz. Ich war eifersüchtig im Bewußtsein meiner Nichtigkeit; ich schmollte thöricht mit ihr und lag ebenso thöricht vor ihr auf den Knieen — eine unwiderstehliche Kraft zog mich immer wieder zu ihr hin — und wonnig durchschauerte es mich jedesmal, wenn ich die Schwelle ihres Zimmers betrat. Sinaïde hatte bald genug errathen, daß ich in sie verliebt war, und mir fiel es nicht ein, ihr ein Hehl daraus zu machen. Sie ergötzte sich an meiner Leidenschaft, spielte mit mir, verwöhnte und quälte mich. Es ist süß, die einzige Quelle, die selbstbewußte mächtige und unverantwortliche Ursache der höchsten Freuden und tiefsten Leiden eines Andern zu sein — und ich war in Sinaïdens Händen wie weiches Wachs. Uebrigens war nicht ich allein in sie verliebt: alle Männer, die ihr Haus besuchten, hatten den Kopf über sie verloren, und sie hielt sie Alle am Bändchen — zu ihren Füßen. Es machte ihr Vergnügen, ihnen bald Hoffnung, bald Besorgnisse zu erwecken, sie nach ihrer Laune zu drehen (sie nannte das: die Leute aneinander stoßen), und sie dachten an keinen Widerstand, sondern fügten sich ihr mit Freuden. In ihrem ganzen reizenden, lebenskräftigen — oder sagen wir raçevollem — Wesen lag eine eigenthümlich bezaubernde Mischung von List und Sorglosigkeit, von Künstlichkeit und Einfachheit, Lebhaftigkeit und Ruhe; über Allem was sie that und sprach, über jeder ihrer Bewegungen lag ein feiner, leichter Zauber; in Allem drückte sich eine ursprüngliche, spielend hinreißende Kraft aus. Auch ihr bewegliches, stets wechselndes Gesicht zeigte dasselbe Spiel und drückte fast zu gleicher Zeit Spottlust, Nachdenken und Leidenschaft aus. Die verschiedenartigsten Gefühle wechselten fortwährend im Ausdruck ihrer Augen und Lippen, schnell kommend und verschwindend wie der Schatten der vom Winde gejagten Wolken an einem sonnigen Tage.

Jeder ihrer Anbeter war ihr nöthig. Belowserow, den sie zuweilen „mein wildes Thier" nannte, zuweilen auch blos „meiner", wäre mit Freuden für sie durch's Feuer gegangen; da er auf seine geistigen Fähigkeiten und sonstigen Eigenschaften keine großen Hoffnungen bauen konnte, schlug er ihr immer vor, ihn zu heirathen, wobei er hinwarf, daß die Anderen doch nur mit ihr spielten. Maidanow berührte die poetischen Saiten ihrer Seele; von kühlem Temperament, wie fast alle Autoren, bemühte er sich fortwährend, sie zu überzeugen (und war vielleicht selbst davon überzeugt), daß er sie anbete. Er besang sie in endlosen Gedichten, welche er ihr mit theils gemachter, theils wirklicher Begeisterung vortrug. Sie ließ ihn gewähren und machte sich ein wenig über ihn lustig; seinen leidenschaftlichen Betheuerungen schenkte sie wenig Glauben und wenn sie seine Ergüsse angehört hatte, pflegte sie ihn wohl zu bitten, ihr aus Puschkin vorzulesen, um, wie sie sich ausdrückte, die Luft zu reinigen. Luschin, der spöttische und in seinen Ausdrücken cynische Doktor kannte sie am besten von Allen, und liebte sie auch mehr als Alle, obgleich er hinter ihrem Rücken wie vor ihren Augen schlimm genug von ihr sprach. Sie achtete ihn, hielt ihn aber kurz und ließ ihn zuweilen mit einer eigenen, boshaften Genugthuung fühlen, daß er auch nur ihr Spielball sei.

Ich bin eine Kokette, ich habe kein Herz, ich bin eine Schauspielernatur — sagte sie ihm einmal in meiner Gegenwart — nun wohl! so geben Sie mir einmal Ihre Hand, ich werde eine Nadel hineinstecken, Sie werden sich vor diesem jungen Manne schämen und, mein aufrichtiger, aller Verstellung unfähiger Herr, trotz der Schmerzen, welche Sie fühlen, werden Sie lachen.

Luschin erröthete, wandte sich ab, biß sich auf die Lippen, aber reichte ihr endlich doch seine Hand. Sie stach ihn mit der Nadel und er fing richtig an zu lachen . . . und sie lachte auch, sie lachte, indem sie ihre Nadelstiche wiederholte, und ihm fest dabei in die Augen sah, die er vergebens nach allen Seiten abzulenken suchte . . .

Am schwierigsten wurde es mir, das Verhältniß zu erklären, welches zwischen Sinaïde und dem Grafen Malewski bestand. Er war ein sehr hübscher, gewandter und aufgeweckter junger Mann, allein selbst mir, dem sechzehnjährigen Knaben, schien in seinem Wesen etwas Unzuverlässiges, Falsches zu liegen, und ich wunderte mich, daß Sinaïde dies nicht bemerkte. Es ist übrigens auch möglich, daß sie es bemerkte und darüber hinwegsah. Ihre unregelmäßige Erziehung, ihre seltsamen Bekanntschaften und Gewohnheiten, die stete Gesellschaft ihrer Mutter, die

Armuth und Unordnung, welche im Hause herrschte, kurz, Alles, angefangen bei der Freiheit, deren sie von Kindesbeinen an sich erfreute, bis zu dem Gefühl der Ueberlegenheit, welche sie über Alle ausübte, die ihr nahe kamen, hatte in ihr eine halb verächtliche Sorglosigkeit und eine große Toleranz entwickelt. Ereignete es sich, daß Bonifazi ihr meldete, es sei kein Zucker mehr da, oder daß irgend eine Klatscherei zu ihren Ohren kam, oder daß ihre Gäste Streit untereinander anfingen, so pflegte sie einfach ihre Locken zu schütteln und zu sagen: dummes Zeug! ohne sich weiter darüber zu beunruhigen.

Mir dagegen fing das Blut an zu sieden, wenn ich sah, wie Malewski, schwankend, mit verschmitztem Ausdruck wie ein Fuchs sich ihr näherte, und, zierlich auf ihre Stuhllehne gestützt, mit selbstzufriedener und bedeutsamer Miene ihr etwas in's Ohr flüsterte, während sie, die Arme auf der Brust gekreuzt, ihn aufmerksam ansah und selbst lächelte und den Kopf schüttelte.

Was können Sie nur für ein Vergnügen daran finden, Graf Malewski bei sich zu empfangen? fragte ich sie einmal.

Er hat einen so allerliebsten Schnurrbart — antwortete sie — und übrigens: was geht Sie das an?

Sie glauben doch nicht, daß ich ihn liebe — sagte sie ein anderes Mal; — nein, ich kann keinen Mann lieben, auf den ich heruntersehen muß, und dem ich Alles bieten darf. Ich brauchte einen Mann, der mich selbst zu bändigen wüßte. Doch ein solcher findet sich nicht, Gott sei Dank! ich werde keinem Manne in die Arme fallen; nein, sicher nicht!

So werden Sie niemals lieben?

Und Sie? Liebe ich Sie denn nicht? sagte sie, indem sie mich mit meinem Handschuh unter die Nase schlug.

Ja, Sinaïde machte sich oft über mich lustig. Drei Wochen hindurch sah ich sie jeden Tag, und was ließ sie mich nicht Alles ertragen! Zu uns kam sie nur selten, was mir ganz recht war, denn in unserm Hause spielte sie immer die junge Weltdame, die Fürstin, und dann wagte ich nicht, ihr nahe zu kommen. Auch fürchtete ich, mich vor meiner Mutter zu verrathen, die Sinaïden nicht leiden konnte und uns argwöhnisch beobachtete. Meinen Vater fürchtete ich weniger; er schien mich gar nicht zu beachten und unterhielt sich selten mit Sinaïde, aber dann immer gewählt und geistreich.

Ich hörte ganz auf zu arbeiten, zu lesen, ja selbst in der Umgegend spazieren zu gehen und zu reiten. Wie ein am Fuße festgebundener Käfer schwirrte ich beständig um Sinaïdens Wohnung herum; mir schien, ich hätte dort auf immer bleiben können, . . allein das war unmöglich; die Mutter brummte mit mir, und zuweilen jagte mich Sinaïde selbst fort. Dann schloß ich mich in mein Zimmer ein, oder ging in das andere Ende des Gartens, kletterte auf die hohe Mauer eines in Ruinen liegenden Gewächshauses, setzte mich dort mit herunterhängenden Beinen nach der Seite, welche der Straße zugekehrt war, nieder, und ließ die Augen stundenlang umherschweifen, ohne etwas zu sehen. Neben mir, auf den bestaubten Brennnesseln flatterten träge weiße Schmetterlinge umher; ein kecker Sperling setzte sich ganz nahe auf einen halb zerbröckelten rothen Backstein und pipste aus vollem Halse, mit ausgebreitetem Schwänzchen sich immer um sich selber drehend; mißtrauische Raben, welche ganz oben auf dem kahlen Wipfel einer Birke sich wiegten, ließen von Zeit zu Zeit ihr Gekrächz hören, während Sonne und Wind in den wenig belaubten Zweigen spielten; dazwischen klang das friedliche und melancholische Geläute der Glocken des Donischen Klosters ab und zu in mein Ohr, und ich saß, schaute, hörte, und mich durchströmte eine namenlose Empfindung, welche Alles in sich schloß: Gram, Freude, Ahnung, Verlangen nach dem Leben und Furcht vor dem Leben. Allein ich verstand damals nichts von alledem und wäre nicht im Stande gewesen, auch nur eines der verworrenen Gefühle, die mich durchschwärmten, mir klar zu machen, oder ich hätte ihnen allesammt nur Einen Namen gegeben — den Namen Sinaïde.

Und Sinaïde fuhr fort mit mir zu spielen wie die Katze mit der Maus. Bald kokettirte sie mit mir, daß ich aufloderte und schmachtete; bald stieß sie mich plötzlich zurück — und ich wagte nicht mehr, mich ihr zu nähern, ja sie auch nur anzublicken.

Ich erinnere mich, daß sie sich mehrere Tage hinter einander sehr kühl und förmlich gegen mich zeigte; ich war ganz außer mir darüber, und schüchtern in ihre Wohnung schleichend, hielt ich mich an die alte Fürstin, obgleich diese gerade zu der Zeit ihre übelste

15*

Laune hatte und fortwährend lärmte und brummte; ihre Wechselangelegenheiten standen sehr schlimm und sie hatte schon zweimal deshalb Erörterungen mit dem Viertelskommissär gehabt.

Eines Tages, als ich in den Garten ging und mich dem bekannten Zaune näherte, bemerkte ich Sinaïde; sie saß im Rasen, auf beide Hände gestützt, ohne sich zu rühren. Ich wollte mich schon wieder vorsichtig entfernen, allein plötzlich erhob sie den Kopf und gab mir einen gebieterischen Wink. Ich blieb wie angemauert stehen; ich hatte sie nicht gleich verstanden. Sie winkte abermals. Augenblicklich sprang ich über den Zaun und lief freudig auf sie zu. Allein sie hielt mich durch einen Blick zurück und deutete auf einen etwa zwei Schritt seitab laufenden Fußweg. In meiner Verwirrung und nicht wissend, was zu thun, sank ich am Saume des Fußwegs auf die Kniee. Sie war so bleich, ein so bitterer Kummer, eine so tiefe Erschöpfung sprach aus jedem ihrer Züge, daß mein Herz sich zusammenschnürte und ich unwillkürlich fragte: „Was haben Sie?"

Sinaïde reichte mir die Hand, riß dann irgend

einen Halm aus der Erde, zerbiß ihn und warf ihn fort, so weit sie konnte.

Nicht wahr, Sie haben mich sehr lieb? — fragte sie endlich.

Ich antwortete nichts. Wozu hätt' ich auch antworten sollen?

Ja — sagte sie, mich wie vorher anblickend — Sie haben mich sehr lieb . . . Ganz dieselben Augen — fuhr sie fort, wurde dann nachdenklich und verbarg das Gesicht in den Händen. — Alles ist mir zuwider — hub sie mit gedämpfter Stimme wieder an — ich möchte bis an's andere Ende der Welt gehen; ich kann dies nicht länger ertragen, und weiß mir nicht zu helfen . . . Und was steht mir in der Zukunft bevor! . . . Ach, mir ist trüb zu Muthe . . . Herr, mein Gott, wie unglücklich bin ich!

Warum? fragte ich schüchtern.

Sinaïde antwortete nicht, sondern zuckte nur mit den Achseln. Auf den Knieen liegend fuhr ich fort sie anzusehen, bis in's Innerste erschüttert. Jedes ihrer Worte hatte mir das Herz durchbohrt. In dem Augenblicke, glaub' ich, hätt' ich gern mein Leben geopfert, um ihren Kummer zu stillen. Ich sah sie an und ohne zu verstehen, warum sie so traurig war, malte ich mir aus, wie sie plötzlich von einem unerträglichen Schmerz befallen, in den Garten geeilt und in den Rasen gestürzt sei, als ob eine Sense sie umgemäht hätte. Um uns her war Alles hell und blühend; der Wind säuselte durch das Laub der Bäume, hin und wieder einen weitausgestreckten Himbeerzweig über dem Kopfe Sinaïdens schaukelnd. In der Ferne girrten Tauben, und Bienen summten dicht über das dünnstehende Gras hin. Ueber uns lachte der Himmel in sanftester Bläue und ich war so unglücklich . . .

Lesen Sie mir irgend ein Gedicht, sagte Sinaïde mit leiser Stimme, und stützte sich auf ihre Ellbogen. — Ich höre Sie gerne Gedichte vorlesen. Sie singen die Verse ein wenig, aber das thut nichts, das paßt zu Ihren Jahren. Lesen Sie mir: „Auf Grusiens Hügeln.“ Aber erst setzen Sie sich.

Ich setzte mich nieder — und las das Gedicht von Puschkin:

„Auf Grusiens Hügeln ruht die Nacht schon dicht,
Vor mir Aragwa's Wogen schäumen;
Mir ist so trüb und leicht, mein Gram ist voller Licht,

Mein Gram ist voll von süßen Träumen,
Von Dir, von Dir allein! Es wird mein holder Schmerz
Durch Nichts gestört, durch Nichts vertrieben ...
Auf's Neue wallt und wogt von Liebesglut mein Herz:
Weil's ihm unmöglich, nicht zu lieben."

„Weil's ihm unmöglich, nicht zu lieben!" wiederholte Sinaïde. — Das ist das Schöne der Poesie, daß sie Das ausdrückt, was nicht ist, und was doch nicht blos unendlich besser ist, als die Wirklichkeit, sondern auch der Wahrheit viel näher kommt ... Weil nicht zu lieben ihm unmöglich! Und wenn es auch anders will, das arme Herz: es ist ihm unmöglich!

Sie blieb noch eine Weile schweigend sitzen, plötzlich schauerte sie zusammen und erhob sich.

Kommen Sie mit mir. Bei Mama sitzt Maidanow; er hat mir sein Gedicht mitgebracht, und ich habe ihn verlassen. Er ist auch jetzt in schlechter Stimmung ... was ist zu machen! Sie werden eines Tages erfahren ... nur seien Sie nicht böse!

Sinaïde drückte mir hastig die Hand und eilte voraus. Wir bogen in den Flügel ein. Maidanow fing an aus seinem eben erst im Druck erschienenen „Mörder" zu lesen, aber ich hörte ihn nicht. Er kreischte seine vierfüßigen Jamben singend ab; die Reime wechselten und klangen so laut und hohl wie Schellengeklingel; ich hielt immer das Auge auf Sinaïde gerichtet und suchte den Sinn ihrer letzten Worte zu finden.

„Hat gar ein heimlicher Rival
Dich unerwartet unterworfen?“

rief plötzlich Maidanow mit näselnder Stimme. Meine und Sinaïdens Augen begegneten sich. Sie senkte den Blick und eine leichte Röthe überflog ihre Wangen. Es überlief mich eisig, als ich ihr Erröthen bemerkte. Ich hatte schon früher Eifersucht gefühlt, aber erst in diesem Augenblicke fuhr mir der Gedanke, daß sie verliebt sei, durch den Kopf. „Großer Gott! sie liebt!“

X.

Erst von diesem Augenblicke an begann ich wirklich zu lieben. Ich zerbrach mir den Kopf, kam bald auf diese, bald auf jene Vermuthung und beobachtete Sinaïde, soweit sich das heimlich thun ließ, unaufhörlich. Daß eine große Veränderung mit ihr vorgegangen war, sprang in die Augen. Sie ging allein spazieren und blieb sehr lange aus. Zuweilen ließ sie sich vor den Gästen gar nicht sehen und schloß sich ganze Stunden in ihr Zimmer ein, was sie sonst nie zu thun pflegte. Ich war auf Einmal überaus scharfblickend geworden, oder bildete mir das wenigstens ein. Ist es nicht Dieser? Oder Der? fragte ich mich aufgeregt, indem ich alle ihre Anbeter an meinem innern Auge vorüberziehen ließ. Graf Malewski schien mir der Gefährlichste zu sein, obgleich ich mich für Sinaïde schämte, dies eingestehen zu müssen.

Mein Scharfblick reichte nicht weiter als meine Nase, und mein geheimnißvolles Wesen täuschte wahrscheinlich Niemand; Doktor Luschin wenigstens hatte mich bald durchschaut. Uebrigens war auch mit ihm in der letzten Zeit eine Veränderung vorgegangen; er magerte sichtbar ab, lachte wohl noch so oft wie früher, aber trockener, boshafter und kürzer: eine unwillkürliche nervöse Gereiztheit war an die Stelle seiner früheren leichten Ironie und seines losen Cynismus getreten.

Was treiben Sie sich hier immer herum, junger Mann, sagte er einstmals zu mir, als er mich im

Sassékin'schen Salon traf (die junge Fürstin war noch nicht von ihrer Promenade nach Hause gekommen, und die Alte ließ ihre kreischende Stimme vom obern Stock herab hören, wo sie ihre Kammerfrau auszankte), Sie sollten Ihre Zeit besser benutzen und studieren, so lange Sie jung sind; was können Sie hier suchen?

Sie können ja nicht wissen, ob ich nicht zu Hause arbeite — entgegnete ich ihm, nicht ohne Hochmuth, aber auch nicht ohne Verwirrung.

Was werden Sie zu Hause arbeiten! Ihnen gehen ganz andere Dinge durch den Kopf. Nun, ich gebe zu . . . in Ihrem Alter ist das begreiflich. Aber Ihre Wahl ist leider keine glückliche. Sehen Sie denn nicht, was dies für ein Haus ist?

Ich verstehe Sie nicht — erwiderte ich.

Sie verstehen mich nicht? Desto schlimmer für Sie. — Ich halt' es für meine Pflicht, Sie zu warnen. Ein alter Junggesell, wie ich, darf sich schon hieherwagen: was kann unser einem geschehen? Wir sind abgehärtete Leute, die nichts mehr ansicht; aber Sie haben noch eine zarte Haut; hier weht eine Ihnen schädliche Luft — glauben Sie mir, Sie können davon angesteckt werden.

Wie so?

Nun wie ich sage. Glauben Sie denn gesund zu sein jetzt? Befinden Sie sich in normalem Zustande? Ist das, was Sie fühlen, Ihnen etwa nützlich, oder gut?

Was fühl' ich denn? fragte ich — mußte aber innerlich selbst anerkennen, daß der Doktor Recht hatte.

Ach, junger Mann, junger Mann — fuhr der Doktor fort, mit solchem Ausdruck, als ob diese beiden Worte etwas für mich äußerst Kränkendes in sich schlössen — umsonst suchen Sie sich zu verstellen: bei Ihnen spricht sich noch, Gott sei Dank, im Gesichte aus, was im Herzen vorgeht. Uebrigens, wozu Ihnen Moral predigen? Ich würde selbst nicht dies Haus betreten, wenn ich . . . (der Doktor kniff die Lippen zusammen) wenn ich nicht eben so thöricht wäre, wie die Andern. Ich wundere mich nur darüber, daß Sie bei all Ihrem Geist nicht merken, was um Sie her vorgeht.

Was geht denn vor? fragte ich rasch einfallend, ganz Ohr.

Der Doktor betrachtete mich mit einer Art ironischen Mitleids.

Es steht mir auch gut an — sagte er, wie zu sich selbst — mit ihm so zu reden. Mit Einem Worte, fügte er, die Stimme erhebend, hinzu, ich sage Ihnen: „Diese Atmosphäre taugt nicht für Sie. Es ist Ihnen hier angenehm, aber das beweist nichts. Die Luft einer Orangerie ist auch angenehm zu athmen, allein man kann nicht darin leben. Ich rathe Ihnen, Ihren Kaidanow wieder zur Hand zu nehmen!

Die Fürstin kam auf uns zu und fing an, dem Doktor von ihren Zahnschmerzen vorzuklagen. Dann trat auch Sinaïde in's Zimmer.

Ach, Herr Doktor, sagte die Fürstin, nehmen Sie sie mal recht in's Gebet. Den ganzen Tag trinkt sie Wasser mit Eis; kann ihr das gesund sein bei ihrer schwachen Brust?

Warum thun Sie das denn? fragte Luschin.

Nun, was kann das denn für schlimme Folgen haben?

Sie können sich erkälten und davon sterben.

Wirklich? Ist das möglich? Nun, zum Himmel führt ja auch ein Weg.

Vortrefflich! rief der Doktor mit trüber Stimme.

Vortrefflich! wiederholte sie. Ist denn dieses Leben etwas so Angenehmes? Blicken Sie um sich ... ist das schön? Oder glauben Sie, daß ich es nicht begreife, nicht fühle? Es macht mir Vergnügen — Wasser mit Eis zu trinken, und Sie wollen mir ganz ernsthaft beweisen, daß ein Leben wie das meine zu werthvoll sei, um es für einen Augenblick des Vergnügens auf's Spiel zu setzen — von Glück will ich gar nicht reden.

Da haben wir's — warf Luschin ein — Laune und Unabhängigkeit: diese zwei Worte bezeichnen Sie ganz; Ihre ganze Natur liegt in diesen beiden Worten.

Ein nervöses Lächeln zuckte durch Sinaïdens Gesicht.

Sie sind zu spät gekommen, lieber Doktor. Sie sind ein schlechter Beobachter. Setzen Sie Ihre Brillen auf. Es handelt sich bei mir jetzt wahrhaftig nicht um Launen. Mich über Sie lustig machen, über mich selbst ... ein schlimmer Zeitvertreib! Und was die Unabhängigkeit betrifft ... Mosjé Woldemar — wandte sich plötzlich Sinaïde, mit dem Füßchen stampfend, an mich — machen Sie nicht ein so melancholisches Gesicht! Ich kann es nicht ausstehen, daß man mich bemitleide. — Und hastig ging sie fort.

Diese Athmosphäre ist Ihnen schädlich, sehr schädlich, junger Mann, wiederholte mir Luschin noch einmal.

XI.

Am Abend desselben Tages versammelten sich bei Sassékin's die gewöhnlichen Gäste; ich war auch dabei.

Das Gespräch drehete sich um Maidanow's Gedicht. Sinaïde lobte es aufrichtig.

„Aber darf ich Ihnen eine Bemerkung machen?" sagte sie zu ihm. — Wenn ich ein Dichter wäre, so hätte ich mir andere Aufgaben gestellt. Vielleicht rede ich dummes Zeug, aber mir gehen zuweilen wunderliche Gedanken durch den Kopf, besonders wenn ich nicht schlafen kann, gegen Morgen, wenn der Himmel anfängt, sich grau und roth zu färben. Ich würde zum Beispiel . . . aber Sie werden mich nicht auslachen?"

Nein, nein! riefen Alle einstimmig.

Ich würde — fuhr sie fort, die Arme über die Brust kreuzend und die Augen zur Seite wendend — ich würde eine ganze Gesellschaft junger Mädchen schildern, Nachts, in einem großen Kahne, auf einem stillen Flusse. Der Mond scheint; alle sind weiß gekleidet, die Köpfe mit Kränzen von weißen Blumen geschmückt, und sie singen, wissen Sie, etwas in der Weise einer Hymne.

Ich verstehe, ich verstehe, weiter! — sagte Maidonow bedeutungsvoll und wie in sich versunken.

Plötzlich erschallt Geräusch, Gelächter, Tamburinklang — Fackeln beleuchten die Scene . . . eine Schaar von Bacchanten kommt singend und lärmend herbeigelaufen. Da fängt nun Ihre Aufgabe an, mein Herr Dichter, das Bild weiter auszumalen . . . nur wünschte ich, daß die Fackeln roth wären und recht rauchten, und daß die Augen der Bacchanten unter Kränzen hervorglüheten, und daß diese Kränze recht dunkel wären. Auch dürfen Sie nicht vergessen Tigerfelle und Trinkschalen, und Gold, recht viel Gold, anzubringen.

Wo soll das Gold angebracht werden? fragte

Maidanow, den Kopf zurückwerfend und die Nasenlöcher weit öffnend.

Wo? Auf den Schultern, an Händen und Füßen. Man sagt, daß im Alterthume die Frauen goldene Ringe an den Enkeln trugen. Die Bacchanten rufen die Mädchen im Kahne zu sich heran. Die Mädchen haben ihren Gesang unterbrochen — sie können nicht fortfahren, aber sie rühren sich nicht: Die Strömung des Flusses trägt sie an's Ufer. Und siehe, plötzlich erhebt sich leise eine von ihnen . . . Dieß muß besonders gut geschildert werden: wie sie leise aufsteht im Glanze des Mondes, und wie ihre Gefährtinnen erschrecken . . . Sie hat den Rand des Kahnes überschritten, die Bacchanten umschwärmen sie, verschwinden mit ihr in der Nacht, im Dunkel. Hier muß der Rauch der Fackeln gemalt werden . . . und Alles verschwimmt und verschwindet. Man hört nur noch Seufzen und Wimmern, und der Kranz des jungen Mädchens ist am Ufer geblieben.

Sinaïde schwieg.

O, sie liebt! dachte ich wieder.

„Und ist das Alles?“ fragte Maidanow.

„Das ist Alles,“ antwortete sie.

„Das ist kein Gegenstand für ein ganzes Gedicht," bemerkte er mit Wichtigkeit, „aber zu einem kleinen Liede werde ich Ihre Idee benutzen."

„In romantischer Weise,?" fragte Malewski.

„Natürlich, in romantischer Weise, à la Byron."

„Meinem Geschmack sagt Victor Hugo mehr zu, als Byron," warf der junge Graf nachlässig hin — „er ist interessanter."

„Victor Hugo ist ein Dichter ersten Ranges", erwiderte Maibanow — „und mein Freund Tonkoschеïef in seinem spanischen Romane „El Toreador."

„Ah, das ist das Buch mit dem umgekehrten Fragezeichen? fiel Sinaïde ein.

„Ja, das ist so Brauch bei den Spaniern. Ich wollte sagen, daß Tonkoschеïef . . ."

„Sie scheinen wieder im besten Zuge zu sein, über Klassicismus und Romantismus zu streiten" — unterbrach ihn Sinaïde; — „Fangen wir lieber ein Spiel an."

„Ein Pfänderspiel?" fragte Luschin.

„Nein, das ist langweilig; spielen wir lieber Vergleichungen (dieses Spiel hatte Sinaïde selbst erfunden: eine Sache wurde benannt, Jeder bemühete sich, sie mit einer andern zu vergleichen und wer am glücklichsten darin war, erhielt einen Preis). Sie trat an's Fenster. Die Sonne war eben untergegangen: hoch am Himmel zogen sich lange, rothe Wolken hin."

„Womit sind diese Wolken zu vergleichen?" — fragte Sinaïde und, ohne unsere Antwort abzuwarten, fügte sie hinzu: „ich finde, daß sie den purpurnen Segeln ähnlich sind, welche auf dem goldenen Schiffe der Kleopatra waren, als sie dem Antonius entgegenfuhr. Sie haben mir erst vor Kurzem davon erzählt, erinnern Sie sich nicht, Maidanow!"

Wie Polonius bei Hamlet waren wir Alle mit ihr der Ansicht, daß diese Wolken jenen purpurnen Segeln glichen und daß keiner von uns einen bessern Vergleich hätte finden können.

„Und wie alt war damals Antonius?" fragte Sinaïde.

„Jedenfalls noch ein junger Mann," antwortete Malewski.

„Ja, jung war er noch," fügte Maidanow bestätigend hinzu.

„Ich bitte um Verzeihung," sagte Luschin, „er war schon über vierzig Jahr alt."

„Ueber vierzig Jahr!" wiederholte Sinaïde, ihm einen flüchtigen Blick zuwerfend.

Ich kehrte bald nach Hause zurück. „Sie liebt" flüsterten unwillkürlich meine Lippen ... „aber wen?"

XII.

Die Tage vergingen. Sinaïde wurde in ihrem Wesen immer seltsamer, immer unbegreiflicher. Einmal kam ich zu ihr und fand sie auf einem Strohstuhle sitzend, den Kopf an die scharfe Tischkante gelehnt. — Sie erhob sich ... ihr ganzes Gesicht schwamm in Thränen.

„Ah, Sie sind es!" sagte sie mit grausamem Lächeln. „Kommen Sie hieher."

Ich näherte mich ihr; sie legte mir die Hand auf den Kopf und fing plötzlich an mich bei den Haaren zu reißen.

„Sie thun mir weh" ... sagte ich endlich.

„Ah, thu' ich Ihnen weh? Und ich — glauben Sie denn, daß mir nichts weh thut, daß ich keinen Schmerz fühle?" erwiderte sie.

16*

„Ach!“ rief sie plötzlich, bemerkend, daß sie mir eine Menge Haare ausgerissen hatte — „was hab' ich gethan! Armer Mosje Woldemar!“

Sie ordnete sorgfältig die mir ausgerissenen Haare, wickelte sie um den Finger und machte sich einen Ring daraus.

„Ich werde diesen Ring von Ihren Haaren in ein Medaillon legen und ihn tragen“ — sagte sie, während ihre Augen von Thränen glänzten. „Vielleicht wird Sie das ein wenig trösten . . . aber jetzt adieu!“

Ich kehrte nach Hause zurück und wurde dort Zeuge eines unangenehmen Auftritts. Meine Mutter hatte eine Erörterung mit meinem Vater. Sie machte ihm Vorwürfe; er hörte sie nach seiner Gewohnheit kalt und höflich an, und verließ bald darauf das Haus. Ich konnte nicht verstehen, wovon meine Mutter gesprochen, auch war ich in keiner neugierigen Stimmung. Ich erinnere mich nur, daß sie mich am Schluß ihrer Erörterung zu sich in ihr Kabinet rief und mir sehr aufgebracht Vorwürfe über meine häufigen Besuche bei der Fürstin machte, welche — wie sie sich ausdrückte — était une femme capable de tout. Ich küßte ihre Hand (was ich immer that, wenn ich ihren Erörterungen ein Ende machen wollte), und zog mich in mein Zimmer zurück. Die Thränen Sinaïdens hatten mich völlig aus der Fassung gebracht; ich wußte entschieden nicht, was ich von ihr denken sollte, und war selbst dem Weinen nah: ein solches Kind war ich noch, trotz meiner sechzehn Jahre. Ich dachte nicht mehr an Malewski, obgleich Belowserow ihm gegenüber jeden Tag eine drohendere Miene annahm und auf den jungen eleganten Grafen blickte wie der Wolf auf einen Hammel; ja, ich dachte an Nichts und an Niemand mehr. Ich verlor mich in Träumereien und suchte einsame Orte auf. Besonders zogen mich die Ruinen des Gewächshauses an. Ich kletterte gewöhnlich eine hohe Mauer hinan, setzte mich oben nieder und fühlte mich dort so unglücklich, einsam und traurig, daß ich mir selbst leid that. Und doch: wie waren mir diese traurigen Empfindungen so tröstlich! wie gern gab ich mich ihnen hin! . .

Eines Tages saß ich wieder so auf der Mauer, den Blick in die Ferne gerichtet und dem Glockengeläute zuhörend ... plötzlich fuhr' ich zusammen, als ob mich etwas aufschreckend berührt hätte. Es war kein Windstoß, kein Schauder, der mich getroffen — es war wie ein Hauch, wie die Gegenwart eines Menschen, die sich mir plötzlich fühlbar machte. — Ich senkte die Augen und erblickte unten Sinaïde, die in einem leichten grauen Kleide mit einem rosenfarbenen Sonnenschirm auf der Schulter eilig über den Weg ging. Sie sah mich, blieb stehen und erhob ihre sammetnen Augen zu mir, den Rand ihres Strohhutes zurückbiegend.

„Was thun Sie da in solcher Höhe?“ fragte sie mich mit einem gewissen seltsamen Lächeln. — „Sie betheuren mir immer, daß Sie mich lieben“ — fuhr sie fort — „wenn dem wirklich so ist, so springen Sie zu mir herunter auf den Weg.“

Sinaïde hatte diese Worte kaum gesprochen, als ich schon unten lag, gerade als ob mich Jemand von hinten hinabgestoßen hätte. Die Mauer mochte wohl ein paar Klafter hoch sein. Ich kam auf die Füße zu stehen, aber die Erschütterung war so heftig, daß ich mich nicht aufrecht halten konnte: ich stürzte nieder und verlor auf einige Augenblicke das Bewußtsein. Als ich wieder zu mir kam, fühlte ich, ohne die Augen zu öffnen, Sinaïde neben mir.

„Mein liebes Kind" — sagte sie, sich über mich beugend, und ihre Stimme tönte von angstvollster, besorgtester Zärtlichkeit — „wie konntest Du das thun, wie konntest Du mir gehorchen . . . Aber ich liebe Dich . . . steh doch auf . . ."

Ich fühlte das Wogen ihres Busens, ihre Hände befühlten meinen Kopf, und plötzlich — Himmel, wie wurde mir da zu Muthe! — fingen ihre weichen, frischen Lippen an, mein ganzes Gesicht mit Küssen zu bedecken . . . sie berührten meine Lippen . . . Aber da bemerkte Sinaïde wahrscheinlich an dem Ausdruck meines Gesichtes, daß ich wieder zu mir gekommen war, obgleich ich immer noch die Augen geschlossen hielt, und hastig sich erhebend, sagte sie:

„Nun, stehen Sie doch auf, Sie Schelm, Sie Tollkopf! Was liegen Sie da im Staube?"

Ich stand auf.

„Geben Sie mir meinen Sonnenschirm; wie weit mir der fortgeflogen ist! Und sehen Sie mich nicht so an! Welch ein thörichter Streich war das! Sie haben sich doch nicht verletzt? Haben die Brennesseln

Ihnen nicht weh gethan? Aber ich sage Ihnen, Sie sollen mich nicht so anstarren! . . . Er versteht nichts, antwortet nichts“ — fügte sie hinzu, wie mit sich selber redend . . . „Gehen Sie nach Haus, Mosje Woldemar, reinigen Sie sich, und wagen Sie nicht, mir zu folgen, sonst werd' ich ernstlich böse und werde nie mehr . . .“

Sie endigte den Satz nicht und eilte davon; ich aber blieb am Wege sitzen, unfähig mich auf den Beinen zu halten. Ich hatte mir in den Nesseln die Hände verbrannt, der Rücken that mir weh und vor meinen Augen drehte sich Alles im Kreise; aber das Wonnegefühl, das mich damals durchdrang, hat sich in meinem Leben nicht wiederholt. Ein seliger Schmerz durchschauerte alle Glieder und machte sich zuletzt in freudigen Sprüngen und Ausrufen Luft. In der That, ich war noch ein Kind.

XIII.

Ich war so fröhlich und stolz während des ganzen Tages, ich bewahrte so lebhaft auf meinem Gesichte das Gefühl der Küsse Sinaïdens, ich erinnerte mich mit solchem Wonnebeben jedes Wortes von ihr, ich schwelgte dermaßen in meinem unerwarteten Glücke, daß ich davor erbangte und selbst kein Verlangen fühlte, sie zu sehen, die mir diese neuen Empfindungen verursacht hatte. Mir schien, daß ich nun nichts mehr vom Schicksal zu fordern hätte, daß mir nichts übrig bliebe, „als mich zu sammeln, zum letztenmale tief aufzuseufzen und zu sterben.“ Dafür überfiel mich, als ich am folgenden Morgen nach Sinaïdens Hause ging, eine große Unruhe, welche ich vergebens unter der Maske bescheidener Ungezwungenheit und Zurückhaltung zu verbergen suchte, wie es einem Manne geziemt, der zu verstehen geben will, daß er ein Geheimniß zu bewahren weiß.

Sinaïde empfing mich so ruhig, als ob gar nichts zwischen uns vorgefallen wäre; sie drohete mir blos mit dem Finger und fragte mich, ob ich keine blauen Flecken hätte? Hiernach verlor ich sofort die angenommene geheimnißvolle und ungezwungene Haltung, aber auch meine Unruhe. Ich hatte natürlich nichts Besonderes erwartet, allein die Ruhe Sinaïdens wirkte auf mich wie ein Eimer kalten Wassers. Ich begriff, daß ich in ihren Augen nur ein Kind war, und das machte mich sehr traurig! Sinaïde ging auf und ab im Zimmer und lachte jedesmal, wenn sie mich anblickte; aber ich sah klar, daß ihre Gedanken anderswo waren . . . Ich überlegte mir, ob ich selbst anfangen sollte, von unserer gestrigen Begegnung zu sprechen, sie fragen, wohin sie so geeilt sei, um bestimmt zu erfahren . . . aber ich winkte nur mit der Hand und setzte mich in eine Ecke.

Belowserow trat ein; seine Ankunft freute mich.

„Ich habe kein ruhiges Reitpferd für Sie gefunden" — sagte er mit rauher Stimme. „Freitag hat mir eins versprochen, aber ich traue ihm nicht. Ich fürchte . . ."

„Was fürchten Sie? Erlauben Sie mir, zu fragen" fiel ihm Sinaïde in's Wort.

„Was? Nun Sie können ja nicht reiten. Verhüte der Himmel, daß Ihnen ein Unfall zustoße! Was ist Ihnen nur plötzlich durch den Kopf gefahren?"

„Nun, das ist meine Sache, Herr Brummbär. So werde ich mich denn an Peter Wassiljewitsch wenden . . . (das war der Name meines Vaters und ich erstaunte nicht wenig, daß er ihr so geläufig und zuversichtlich von der Zunge kam, als ob sie von seiner Bereitwilligkeit ihr zu dienen, völlig überzeugt wäre."

„Wirklich?" — erwiderte Belowserow — „dann werden Sie also mit ihm reiten?"

„Mit ihm, oder mit Jemand anders — das kann Ihnen gleichgiltig sein — nur nicht mit Ihnen."

„Nicht mit mir" wiederholte Belowserow. „Nun wie Sie wollen. Ein Pferd besorg' ich Ihnen doch."

„Aber keine alte Mähre, wenn ich bitten darf. Ich sage Ihnen, daß ich galoppiren will."

„Galoppiren Sie, wenn es Ihnen beliebt. Aber mit wem werden Sie ausreiten? Mit Malewski?"

„Und warum nicht mit ihm, mein tapferer Krieger? Allein beruhigen Sie sich," fügte sie hinzu, „und blinzen Sie nicht so mit den Augen. Ich werde auch Sie mitnehmen. Sie wissen, daß Malewski jetzt für mich . . . pfui! — und sie schüttelte den Kopf."

„Sie sagen das, um mich zu beruhigen" — bemerkte Belowserow."

Sinaïde blickte ihn blinzelnd an.

„Sie zu beruhigen? O... O... O... mein tapferer Krieger!" sagte sie zuletzt, als ob sie im Augenblicke kein anderes Wort gefunden hätte. —

„Und Sie, Mosje Woldemar, wollen Sie nicht auch mit uns reiten?"

„Ich reite nicht gern . . . in großer Gesellschaft" — stammelte ich, ohne die Augen aufzuschlagen.

Sie ziehen ein tête-à-tête vor? . . Nun, dem Freien die Freiheit, dem Seligen das Paradies"[1]) — sagte sie und seufzte tief auf. „Gehen Sie, Belowserow, und sorgen Sie, daß ich bis morgen ein Pferd bekomme."

„Ja, aber woher das Geld nehmen?" fragte die alte Fürstin dazwischen.

Sinaïde runzelte die Stirne.

„Ich werde Sie nicht darum bitten; Belowserow legt für mich aus."

„Legt für Dich aus, so, so . . ." brummte die Fürstin und schrie dann plötzlich aus vollem Halse: „Dunjaschka!"

„Mama, ich habe Ihnen eine Glocke zum Schellen geschenkt" — sagte Sinaïde.

„Dunjaschka!" schrie die Alte wieder.

Belowserow zog sich zurück; ich ging zugleich mit ihm. Sinaïde hielt mich nicht zurück.

1) Russisches Sprichwort.

XIV.

Am folgenden Morgen stand ich früh auf, schnitt mir einen Stock im Garten ab und ging vor das Thor. Frisch hinaus — sagt' ich zu mir, — ich will versuchen, meinen Kummer auszutreten. Der Tag war prächtig; hell und nicht zu heiß. Ein munterer frischer Wind strich über den Rasen hin und rauschte spielend durch's Gebüsch, Alles bewegend und Nichts zerstörend. Ich schweifte lange über die Hügel und in den Wäldern der Gegend umher; ich fühlte mich nicht glücklich; ich war von Haus fortgegangen in der Absicht, mich meiner Melancholie zu überlassen — allein die Jugend, das herrliche Wetter, die frische Luft, der Genuß des raschen Gehens, und die Freude, welche ich daran fand, mich hin und wieder so mutterseelenallein auf den dichten Rasen hinzustrecken — das Alles gewann die Oberhand. Die Erinnerung an die unvergeßlichen Worte und Küsse Sinaïdens tauchte wieder auf in meinem Herzen. Es war mir ein süßer Gedanke, daß sie doch meiner Entschlossenheit, meinem Heroismus ihre Anerkennung nicht versagen konnte... Mögen die Andern ihr besser gefallen, als ich! dachte ich — dafür reden die Andern blos von dem, was sie für sie thun würden, während ich wirklich etwas für sie gethan habe. Und was wär' ich nicht im Stande, noch für sie zu thun! Meine Einbildungskraft riß mich völlig fort. Ich stellte mir vor, wie ich Sinaïde aus Feindeshänden errettete; wie ich, ganz von Blut bedeckt, sie aus ihrem Kerker befreite, um dann zu ihren Füßen zu sterben. Ich erinnerte mich eines in unserm Salon hängenden Bildes, Malek-Adel darstellend, wie er Mathilde entführt, und so in Gedanken verloren, bemerkte ich einen großen Grünspecht, der behende den schmalen Stamm einer Birke erkletterte und halb durch den Baum verborgen, bald rechts bald links unruhigen Blickes umherspähete, wie ein Musikant hinter seinem Contrabaß.

Dann sang ich: „Nicht der weiße Schnee ist's, was dort schimmert," und sprang darauf zu einer in jener Zeit sehr beliebten Romanze über: „Ich warte Dein, wenn sich der Zephyr spielend rc." Noch nicht zufrieden mit diesen Ausströmungen, deklamirte ich mit breitem Pathos die „Anrufung Jermak's an die Sterne," aus der Tragödie von Chomjakow; — endlich versuchte ich meine eigenen Kräfte zum Dichten eines empfindsamen Liedes, und brachte wirklich einen Vers zu Stande, der den Schluß des „Ganzen" bilden sollte:

„So lebst Du fort in meinem Liede,
O Sinaïde, Sinaïde!"

Weiter kam ich aber mit dem „Ganzen" nicht. Inzwischen rückte die Zeit heran, um welche wir zu speisen pflegten. Ich stieg in das Thal hinab, durch welches ein schmaler, sandiger Weg sich schlängelte, der in die Stadt führte. Diesen Weg schlug ich ein. Plötzlich vernahm ich hinter mir den dumpfen Hall von Pferdehufen. Mich umwendend blieb ich unwillkürlich stehen und zog die Mütze ab: ich sah meinen Vater und Sinaïde. Sie ritten neben einander. Mein Vater sagte ihr eben etwas mit lächelndem Gesichte, den ganzen Oberkörper zu ihr hinübergebeugt und die Hand auf den Hals ihres Pferdes gestützt. Sinaide hörte ihn an mit ernst niedergeschlagenen Augen und zusammengekniffenen Lippen. Erst sah ich die beiden allein; kurz darauf erblickte ich auch Belowserow, in das Thal einbiegend, auf einem schaumbedeckten schwarzen Pferde und in voller Husarenuniform mit Dolman. Das edle Roß schüttelte den Kopf, schnob und tanzte, während sein Reiter es zugleich zügelte und spornte. Ich trat auf die Seite des Weges. Mein Vater nahm die Zügel zusammen, entfernte sich etwas von Sinaïde, welche langsam die Augen zu ihm erhob — und beide setzten ihre Pferde in Galopp . . . Belowserow schoß säbelklirrend hinter ihnen her. „Er ist roth, wie ein Krebs," dachte ich — „und sie . . . warum ist sie so bleich?"

Ich verdoppelte meine Schritte und kam kurz vor Tisch nach Hause. Mein Vater saß schon umgekleidet, gewaschen und frisirt, mit frischem Gesichte vor dem Lehnstuhle meiner Mutter, der er mit seiner gleichmäßigen, klangvollen Stimme das Feuilleton des „Journal des Débats" vorlas; aber meine Mutter hörte ihm ohne Aufmerksamkeit zu und fragte mich, als ihre Augen auf mich fielen, wo ich mich den ganzen Tag wieder umhergetrieben hätte. Sie fügte hinzu, daß sie es nicht liebe, wenn man, Gott weiß wo, und Gott weiß mit wem, die Zeit todtschlage.

Ich wollte antworten, daß ich ganz allein gegangen sei — aber ich sah meinen Vater an und schwieg.

XV.

Im Laufe der nächsten fünf oder sechs Tage sah ich Sinaïde fast gar nicht: sie ließ sich krank melden, was jedoch nicht verhinderte, daß die gewohnten Gäste im Hause erschienen — um ihren Dienst zu versehen — wie sie sich ausdrückten. Nur Maidanow stellte seine Besuche ein, da er sich langweilte und selbst sehr langweilig war, sobald ihm die Gelegenheit fehlte, sich zu begeistern.

Belowserow saß finster in der Ecke, ganz zugeknöpft und roth. Auf dem feinen Gesichte des Grafen Malewski spielte fortwährend ein unheimliches Lächeln; er war entschieden in Ungnade bei Sinaïde gefallen, beschäftigte sich aber desto eifriger mit der alten Fürstin, die er sogar in einer Miethskutsche zum Generalgouverneur begleitete. Uebrigens hatte diese Fahrt keinen Erfolg und zog Malewski selbst eine Unannehmlichkeit zu: man erinnerte ihn an eine wenig erbauliche Scene, die er einmal mit einigen Ingenieur-Officieren gehabt hatte, und er mußte, um sich zu entschuldigen, erklären, daß er damals noch unerfahren gewesen sei.

Luschin kam täglich wohl zweimal angefahren, blieb aber nicht lange; ich fürchtete ihn ein wenig seit unserer letzten Unterhaltung, fühlte mich aber doch sehr zu ihm hingezogen. Er ging einmal mit mir im Park von Neskuschnoi spazieren, war ausnehmend freundlich und liebenswürdig, belehrte mich über die Namen und Eigenschaften der verschiedenen Blumen und Kräuter, und rief plötzlich, ohne die geringste äußere Veranlassung, indem er sich vor den Kopf schlug:

„Welch ein Narr war ich, daß ich sie für eine Kokette halten konnte! Es gibt Menschen, denen es ein süßes Gefühl ist, sich für Andere zu opfern."

„Was wollen Sie damit sagen?" fragte ich.

„Ihnen hab' ich gar nichts sagen wollen" — erwiderte er kurz.

Sinaïde wich mir aus; es konnte mir nicht entgehen, daß meine Erscheinung ihr einen peinlichen Eindruck machte. Sie wandte sich unwillkürlich von mir ab . . . unwillkürlich; das war mir schwer zu ertragen und brachte mich fast zur Verzweiflung. Aber was sollt' ich machen? Ich entzog mich ihrem Anblick so viel ich konnte und begnügte mich, sie aus der Ferne zu beobachten, was oft schwer genug war. Sie erschien mir immer unbegreiflicher: ihr Gesicht war ein anderes geworden, ihr ganzes Wesen hatte sich verändert. Diese Umwandlung sprang mir besonders an einem warmen, stillen Abend recht überraschend in die Augen. Ich saß auf einem niedrigen Bänkchen unter einem breiten Hollunderstrauch, meinem Lieblingsaufenthalte; von dort konnte ich Sinaïdens Fenster sehen. Ich saß still; mir zu Häupten im dunklen Laube hüpfte unruhig ein Vöglein umher. Eine graue Katze kam, den Rücken streckend, vorsichtig in den Garten geschlichen und die ersten Maikäfer schwirrten in der nicht mehr hellen, aber immer noch durchsichtigen Luft umher. Ich saß, die Augen auf das Fenster gerichtet, und wartete, ob sie es nicht öffnen werde — richtig: es öffnete sich, und Sinaïde erschien darin. Sie trug ein weißes Kleid, und sie selbst, ihr Gesicht, ihre Schultern, Hände, waren bleich bis zur Weiße. Sie stand lange unbeweglich und blickte lange unbeweglich und gerade unter den zusammengezogenen Augenbrauen hervor. Diesen Blick hatte ich an ihr noch nie gesehen. Dann faltete sie die Hände mit aller Kraft zusammen, er-

17*

hob sie an die Lippen, an die Stirne — und plötzlich die Finger auseinanderziehend warf sie die Haare hinter die Ohren, schüttelte sie, neigte den Kopf mit einer gewissen Entschlossenheit und schlug das Fenster wieder zu.

Einige Tage später begegnete sie mir im Garten. Ich wollte ihr ausweichen, aber sie hielt mich selbst an.

„Geben Sie mir die Hand" — sagte sie mit aller Freundlichkeit, — „wir haben lange nicht zusammen geplaudert."

Ich schaute sie an: ihre Augen glänzten sanft, und ihr Gesicht lächelte, aber wie durch einen leichten Nebel.

„Sind Sie immer noch leidend?" fragte ich sie.

„Nein, jetzt ist Alles vorüber" — antwortete sie, eine kleine Rose pflückend. — „Ich bin noch ein wenig angegriffen, aber auch Das wird vorübergehen."

„Und Sie werden wieder ganz dieselbe sein, die Sie vordem waren?" fragte ich.

Sinaïde hielt die Rose an ihr Gesicht — und es schien mir, als ob ein Abglanz der glühenden Blätter auf ihre Wangen fiele.

„Hab' ich mich denn verändert?" fragte sie mich.

„Ja, Sie haben sich verändert" — entgegnete ich mit halber Stimme.

„Ich bin kalt gegen Sie gewesen, ich weiß das" — hub Sinaïde an — aber Sie müssen das nicht so ernst nehmen . . . Ich konnte nicht anders . . . Wozu noch darüber reden?"

„Sie wollen nicht, daß ich Sie liebe; das ist's!" rief ich traurig, mit unwillkürlicher Bewegung.

„Nein, Sie sollen mich lieben, aber nicht wie früher."

„Wie so?"

„Lassen Sie uns Freunde sein — weiter nichts!" — Sinaïde gab mir die Rose zu riechen. „Sehen Sie, ich bin viel älter als Sie; ich könnte Ihre Tante sein, nicht wahr? Oder wenn nicht Ihre Tante, so doch eine ältere Schwester. Und Sie . . .

„Ich bin für Sie nur ein Kind" — warf ich ein.

„Nun ja, ein Kind, aber ein liebes, gutes, kluges Kind, das ich sehr liebe. Wissen Sie was? Sie sollen von heute an mein Page sein; aber vergessen Sie nicht, daß die Pagen ihren Herrinnen immer folgen müssen. Hier ist das Zeichen Ihrer neuen Würde" — fügte sie hinzu, mir die Rose in's Knopf=

loch steckend — das Zeichen der Gunst, die ich Ihnen schenke."

„Ich habe früher von Ihnen andere Gunstbezeugungen erhalten," stammelte ich.

„Ach!" — erwiderte Sinaïde und sah mich von der Seite an — „was er für ein Gedächtniß hat! Nun, ich bin auch jetzt noch bereit."

Und sich zu mir beugend, drückte sie mir einen reinen, ruhigen Kuß auf die Stirne.

Ich blickte ihr in die Augen, aber sie wandte sich ab und mit den Worten: „Folgen Sie mir, mein Page!" — ging sie auf ihre Wohnung zu.

Ich folgte ihr, mit mir selber uneins.

Ist's nur möglich! — dachte ich — ist dieses sanfte, vernünftige Mädchen dieselbe Sinaïde, die ich gekannt habe? Selbst ihr Gang kam mir ruhiger vor, und ihre ganze Gestalt erschien mir schöner und majestätischer als je . . . .

O mein Himmel! Mit welcher neuen Gewalt entflammte die Liebe in mir!

XVI.

Nach Tisch versammelten sich wieder die herkömmlichen Gäste im Salon, und die junge Fürstin gesellte sich zu ihnen. Es war genau dieselbe Gesellschaft, welche ich hier an jenem ersten, mir unvergeßlichen Abend getroffen hatte. Selbst Nirmatzki fehlte nicht, und Maidanow war früher erschienen, als alle Anderen — er hatte neue Gedichte mitgebracht.

Man fing wieder an, um Pfänder zu spielen, aber ohne die früheren Wunderlichkeiten; es ging nicht mehr so närrisch und geräuschvoll dabei her wie ehedem. Das Zigeunerelement war verschwunden.

Sinaïde gab unserm kleinen Kreise ein neues Gepräge. Ich mußte ihr, als Page, zur Rechten sitzen. Unter Anderm ordnete sie an, daß Der, dessen Pfand herauskäme, einen Traum erzählen solle. Aber damit wurde wenig gewonnen. Die Träume waren entweder uninteressant (Belowserow hatte geträumt, er habe sein Pferd, welches plötzlich einen hölzernen Kopf bekommen, mit Karauschen gefüttert), oder unwahrscheinlich und aus der Luft gegriffen. Maidanow gab uns eine ganze Erzählung zum

Besten, worin Grabesscenen, Engel mit Leyern, redende Blumen und fernherzitternde Klänge vorkamen. Sinaïde ließ ihn nicht zu Ende kommen.

„Da wir nun doch einmal in's Gebiet der Dichtung abgeschweift sind" — sagte sie — „so möge Jeder lieber gleich etwas frei Erfundenes erzählen."

Die Reihe kam wieder zuerst an Belowserow.

Der junge Husar fühlte sich unbehaglich bei dem ihm zugefallenen Loose.

„Ich kann nichts erfinden!" rief er.

„Solche Ausflüchte gelten nicht!" entgegnete Sinaïde. — „Ich will Ihnen auf die Sprünge helfen. Denken Sie zum Beispiel, Sie wären verheirathet, und erzählen Sie uns, wie Sie die Zeit mit Ihrer Gattin hinbringen würden. Würden Sie sie einsperren?"

„Ja."

„Aber Sie blieben dann bei ihr?"

„Natürlich würde ich sie nicht verlassen."

„Vortrefflich. Wenn ihr das aber langweilig würde und sie auf Mittel käme, Sie zu hintergehen."

„So würd' ich sie umbringen."

„Wenn sie aber entwischte?"

„So würd' ich ihr nachsetzen und sie ebenfalls umbringen."

„Gut. Setzen wir nun den Fall, ich wäre Ihre Frau: was würden Sie dann thun?"

Belowserow schwieg eine Weile. „Ich würde mich selbst umbringen."

Sinaïde lächelte. „Ich sehe, Sie machen nicht viel Federlesens."

Das zweite Pfand, welches herauskam, gehörte Sinaïden. Sie erhob nachdenkend das Auge zur Decke. „Hören Sie" — sagte sie endlich — „was ich mir ausgedacht habe. Stellen Sie sich einen prachtvollen Palast vor, eine Sommernacht und einen zauberhaften Ball. Dieser Ball wird von einer jungen Königin gegeben. Ueberall strotzt es von Gold, Marmor, Krystall, Seide, Kerzenglanz, Diamanten, Blumen und Wohlgerüchen; die Sinne schwelgen in Allem, was der Luxus zu bieten vermag."

„Sie lieben den Luxus?" unterbrach sie Luschin.

„Der Luxus umschließt das Elegante und Schöne, und ich liebe alles Elegante und Schöne."

„Mehr als das einfach Schöne?" fragte er wieder.

„Sie fragen zu spitzfindig; ich verstehe das nicht. Unterbrechen Sie mich nicht weiter. Der Ball ist also prachtvoll, die Gesellschaft zahlreich; alle Männer sind jung, schön, tapfer; Alle sind verliebt in die Königin."

„Gibt's denn keine Frauen auf dem Balle?" fragte Malewski.

„Nein — oder warten Sie — doch!"

„Und die sind alle häßlich?"

„Im Gegentheil: bezaubernd. Aber die Männer sind alle verliebt in die Königin. Sie ist von hohem und edlem Wuchs; sie trägt ein kleines goldenes Diadem auf ihrem schwarzen Haar."

Ich richtete mein Auge auf Sinaïde, und sie erschien mir in diesem Augenblicke hoch erhaben über uns Allen; von ihrer weißen Stirne und ihren unbeweglichen Augenbrauen strahlte ein Geist und ging eine Hoheit aus, daß ich dachte: „Du selbst bist diese Königin!"

„Alle umdrängen sie" — fuhr Sinaïde fort — „Alle überbieten sich ihr gegenüber in den schmeichelhaftesten Ausdrücken."

„Sie liebt also die Schmeichelei?" fragte Luschin.

„Wie unerträglich Sie sind! Immer unterbrechen Sie mich! ... Wer hört nicht gern etwas Schmeichelhaftes?“

„Noch eine letzte Frage“ — warf Malewski ein: — „hat die Königin auch einen Gemahl?“

„Daran hatte ich nicht gedacht. Nein ..., wozu braucht sie einen Gemahl?“

„Natürlich“ — hub Malewski wieder an — „wozu braucht sie einen Gemahl?“

„Silence!“ — rief Maidanow, weil, oder obgleich er schlecht französisch sprach.“

„Merci,“ — sagte Sinaïde. — „Also die Königin hört Alles an, Schmeicheleien und Musik, aber ohne den Blick auf Jemand besonders zu richten. Sechs Fenster sind von oben bis unten, von der Decke bis zum Fußboden geöffnet; dahinter dehnt sich der dunkle Himmel mit großen Sternen, und der dunkle Garten mit großen Bäumen. Die Königin blickt aus in den Garten. Zwischen den Bäumen springt eine Fontäne: sie ragt bleich und lang durch das Dunkel her, wie ein Gespenst. Die Königin hört durch das Stimmengewirr und die Musik das leichte Plätschern des Wassers. Sie blickt hinaus und denkt: Ihr Alle, wie Ihr da seid, meine edlen, klugen, reichen Herren, die Ihr mich geschäftig umdrängt, durch jedes meiner Worte Euch beglückt fühlt und freudig zu meinen Füßen sterben würdet: ich herrsche über Euch . . . und dort neben der Fontäne, neben dem plätschernden Wasser steht Der, den ich liebe und der über mich herrscht. Er trägt keine reiche Kleider, noch kostbare Steine; Niemand kennt ihn, aber er erwartet mich und weiß sicher, daß ich komme — und ich werde kommen! Keine Macht soll mich zurückhalten, wenn ich zu ihm gehen will und bei ihm weilen und mich mit ihm verlieren will in der Dunkelheit des Gartens, unter dem Rauschen der Bäume, unter dem Murmeln der Fontäne . . ."

Sinaïde schwieg.

„Ist das etwas Erdichtetes?" fragte Malewski fein.

Sinaïde sah ihn gar nicht an.

„Aber was würden wir gethan haben, meine Herren" — bemerkte plötzlich Luschin — „wenn wir uns unter den Gästen befunden und gewußt hätten um das Verhältniß mit dem Glücklichen bei der Fontäne?"

„Warten Sie, warten Sie!" rief lebhaft Sinaïde — „ich werde Ihnen selbst sagen, was Jeder von

Ihnen gethan haben würde. Sie, Belowserow, hätten ihn zum Duell gefordert; Sie, Maidanow, hätten ein Epigramm auf ihn gemacht... nein, doch nicht: Sie können kein Epigramm machen. Sie hätten breitspurige Jamben à la Barbier auf ihn geschrieben und Ihr Gedicht im „Telegraphen" [1]) drucken lassen. Sie, Nirmatzki, hätten von ihm geborgt . . . nein, Sie hätten ihm Geld auf Zinsen geliehen. Sie, Doktor, — sie hielt inne — ich weiß wahrhaftig nicht, was Sie gethan haben würden."

„In meiner Eigenschaft als Leibarzt ihrer Majestät" — entgegnete Luschin — „würd' ich ihr gerathen haben, keine Bälle zu geben, wenn ihr so wenig an den Gästen liegt."

„Da hätten Sie vielleicht Recht gehabt. Und Sie, Graf . . ."

„Und ich?" . . . wiederholte mit seinem unheimlichen Lächeln Malewski . . .

„Sie hätten ihm vergiftetes Confect gebracht."

Das Gesicht Malewski's zog sich ein wenig zusammen und nahm auf einen Augenblick einen jüdi-

1) So hieß ein früher erschienenes russisches Journal.

schen Ausdruck an, aber dann fing er gleich an zu lachen.

„Was Sie anbetrifft, Woldemar" — fuhr Sinaïde fort — „übrigens ist es genug! Spielen wir etwas Anderes!"

„In seiner Eigenschaft als Page der Königin würde Mosjė Woldemar ihr die Schleppe tragen, wenn sie in den Garten ginge" — bemerkte giftig Malewski.

Ich brauste auf vor Zorn, aber Sinaïde legte beruhigend die Hand auf meine Schulter und sagte, sich erhebend, mit etwas zitternder Stimme:

„Ich habe Eurer Erlaucht niemals das Recht gegeben, sich frech zu betragen, und bitte Sie deßhalb sich zu entfernen." Sie zeigte ihm die Thüre.

„Aber Fürstin, wie können Sie nur" . . . stammelte Malewski, ganz bleich.

„Die Fürstin hat Recht," — rief Belowserow, ebenfalls aufstehend.

„Ich habe bei Gott nicht erwartet . . ." fuhr Malewski fort — „ich glaube, daß nichts der Art in meinen Worten . . . ich hatte nicht entfernt den Gedanken, Sie zu beleidigen . . . Verzeihen Sie mir!"

Sinaïde warf ihm einen kalten Blick zu und lächelte kalt.

„So bleiben Sie denn“ — sagte sie mit einer verächtlichen Handbewegung — „Woldemar und ich hätten Ihretwegen nicht in Zorn gerathen sollen. Es macht Ihnen Freude, zu stechen … wohl bekomm' es Ihnen!“

„Verzeihen Sie mir!“ — wiederholte Malewski noch einmal.

Ich aber dachte wieder, mich der Bewegung Sinaïdens erinnernd, daß eine wirkliche Königin einem Unverschämten nicht hätte mit mehr Würde die Thüre weisen können.

Das Pfänderspiel dauerte nach dieser kleinen Zwischenscene nicht mehr lange; es war Allen etwas unbehaglich zu Muthe geworden, nicht sowohl wegen der Scene selbst, als in Folge der peinlichen Stimmung, welche daraus entsprang. Niemand sprach davon, aber Jeder empfand diese peinliche Stimmung und bemerkte sie auch an seinen Nachbaren. Maidanow las uns seine neuen Gedichte vor — und Malewski lobte sie mit übertriebenem Eifer.

„Wie er sich jetzt bemüht, gutmüthig zu erscheinen," flüsterte mir Luschin zu.

Wir gingen bald auseinander. Sinaïde war plötzlich nachdenklich geworden; die alte Fürstin ließ sagen, daß sie sehr am Kopf leide; Nirmatzki klagte über seinen Rheumatismus.

Ich konnte lange nicht einschlafen; die Erzählung Sinaïdens war mir zu Kopfe gestiegen. Es sollte doch nicht gar eine Anspielung darin liegen? fragte ich mich — und auf wen könnte sie angespielt haben? Und zu welchem Zwecke? Und wenn ihrer Erzählung wirklich etwas zu Grunde läge, wie hätte sie sich entschließen können . . . Nein, nein, es kann nicht sein! flüsterte ich, meine glühenden Wangen abwechselnd in's Kissen drückend . . . Aber ich erinnerte mich des Ausdrucks, welchen Sinaïdens Gesicht während ihrer ganzen Erzählung hatte . . . ich erinnerte mich des Ausrufs, der Luschin im Park von Neskuschnoi entfahren war, sowie der plötzlichen Veränderung in ihrem Benehmen gegen mich — und ich verlor mich in Vermuthungen. Wer ist es? Diese drei Worte standen in der Dunkelheit klar vor meinen Augen; mir war, als ob eine drohende

Wolke dicht über meinem Kopfe schwebte — und ich fühlte ihren Druck und erwartete jeden Augenblick ihren Ausbruch. An Vieles hatte ich mich in der letzten Zeit gewöhnt; viel Neues hatte ich bei Sassékin's kennen lernen; die Unordnung ihres Haushalts, die Talglichter, die zerbrochenen Messer und Gabeln, der finstere Bonifazi, die zerlumpte Kammerjungfer, die Manieren der Fürstin selbst — diese ganze wunderliche Lebensweise beunruhigte mich nicht mehr, hatte aufgehört, mir befremdend zu erscheinen... Aber an die dunklen Ahnungen, die mir jetzt über Sinaïde aufstiegen, konnte ich mich nicht gewöhnen... Sie ist eine Abenteuerin! hatte einstmals meine Mutter von ihr gesagt. Sie, mein Idol, meine Gottheit — eine Abenteuerin! Dieses Wort brannte mir auf der Seele, ich suchte ihm zu entfliehen, indem ich meinen Kopf in's Kissen drückte, ich verfluchte es, und doch — was hätte ich nicht gethan, zu was wäre ich nicht fähig gewesen, um selbst der Glückliche bei der Fontäne sein zu können!...

Mein Blut kochte und pochte mit Ungestüm durch meine Adern. Der Garten ... die Fontäne ... ich konnte an weiter nichts denken. Ich entschloß mich, in den Garten zu gehen. Ich warf mich eilig in die Kleider und schlich aus dem Hause. Die Nacht war dunkel, kaum säuselte es in den Bäumen; eine leichte Kühle senkte sich vom Himmel herab; aus dem Obstgarten her roch es nach Fenchel. Ich durchschritt alle Gänge; der leichte Schall meiner Schritte erregte mich und gab mir eine gewisse Zuversicht. Als ich stehen blieb, um zu lauschen, hörte ich die raschen, vollen Schläge meines Herzens. Endlich kam ich in die Nähe des Zaunes und lehnte mich auf eine schmale Stange. Plötzlich — oder schien es mir nur so? — zeigte sich wenige Schritte von mir eine weibliche Gestalt . . . Ich hielt den Athem an und richtete meine Augen scharf in das Dunkel. Was ist das? Hör' ich Schall von Schritten oder das laute Schlagen meines Herzens?

„Wer ist da?“ stammelte ich kaum vernehmlich. Was war das wieder? Ein unterdrücktes Lachen? Oder ein Rauschen im Laube? Oder ein Seufzer dicht neben meinem Ohre?

„Wer ist da?“ wiederholte ich mit noch schwächerer Stimme. Die Luft wurde etwas bewegter; vom Himmel schoß ein feuriger Streifen nieder: es war eine Sternschnuppe. Ich wollte fragen: „Sinaïde?" Aber das Wort erstarb mir auf den Lippen. Und plötzlich umgab mich wieder tiefes Schweigen, wie man das oft in der Mitte der Nacht erlebt. Selbst die Grashüpfer hatten zu schwirren aufgehört . . . nur hört' ich irgendwo ein Fenster klirren. Ich stand und horchte noch lange vergebens; dann kehrt' ich in mein Zimmer zurück und legte mich in mein wieder kaltgewordenes Bett. Ich fühlte eine seltsame Aufregung — als wär' ich zu einem Stelldichein gegangen, und allein geblieben, und am Glück eines Andern vorübergegangen.

XVII.

Am folgenden Tage sah ich Sinaïde nur im Fluge: sie fuhr mit ihrer Mutter, ich weiß nicht wohin, in einer Droschke. Dafür begegnete ich Luschin, der übrigens meinen Gruß kaum erwiderte, und Malewski. Der junge Graf lächelte und redete mich mit verbindlichster Freundlichkeit an. Von allen Besuchern des Flügels hatte er allein es verstanden, Eintritt in unser Haus zu erhalten und das ganz besondere Wohlwollen meiner Mutter zu gewinnen.

Mein Vater dagegen liebte ihn nicht und behandelte ihn mit verletzender Höflichkeit.

„Ah, monsieur le page" — hub Malewski an — freut mich sehr, Ihnen zu begegnen. Wie geht's Ihrer reizenden Königin?" Sein frisches, hübsches Gesicht war mir in diesem Augenblicke so zuwider, und er blickte mich so selbstgefällig-höhnisch an, daß ich ihn gar keiner Antwort würdigte.

„Sind Sie immer noch böse?" — fuhr er fort — „Sie haben keinen Grund dazu. Ich habe Sie doch nicht zum Pagen ernannt, aber im Gefolge von Königinnen pflegen immer Pagen zu sein. Uebrigens erlauben Sie mir, zu bemerken, daß Sie Ihre Pflicht schlecht erfüllen."

„Wie so?

„Die Pagen sollten unzertrennlich von ihren Gebieterinnen sein, sollten Alles wissen, was diese thun, sollten Tag und Nacht über sie wachen" — fügte er mit gedämpfter Stimme hinzu.

„Was wollen Sie damit sagen?"

„Was ich sagen will? Mir scheint, ich drücke mich doch deutlich genug aus. Tag — und Nacht. Am Tage geht's noch hin; am Tage ist es hell und belebt; aber Nachts — Nachts kann leicht ein Unglück geschehen. Ich rathe Ihnen, Nachts nicht zu schlafen, und aufzupassen, recht scharf aufzupassen. Erinnern Sie Sich — im Garten, Nachts, bei der Fontäne — da gilt es, die Augen weit offen zu halten. Sie werden mir Dank wissen für meinen guten Rath."

Malewski lächelte und kehrte mir den Rücken zu. Er legte wahrscheinlich seinen Worten keine tiefere Bedeutung bei; er stand im Rufe, die Leute gern und geschickt zu mystificiren, und zeichnete sich in dieser Beziehung besonders auf Maskenbällen aus. Die große Gewandtheit, welche er in der zweideutigen Kunst entwickelte, Andere zu täuschen, irre zu führen und auszuholen, verdankte er dem ihm selbst fast unbewußten falschen, lügenhaften Zuge, der durch sein ganzes Wesen ging . . . Er wollte mich wohl nur mystificiren, aber jedes seiner Worte hatte mich wie schnellwirkendes Gift durchdrungen. Das Blut stieg mir zu Kopfe. So steht's! dachte ich — das ist ja vortrefflich! da wären meine gestrigen Ahnungen doch nicht ohne Grund gewesen! Nicht umsonst hat es mich so hingezogen zum Garten . . . Aber das darf nicht sein! Das kann nicht sein! rief ich laut, mit voller Faust gegen meine Brust schlagend, obgleich ich eigentlich selbst nicht recht wußte, was ich damit meinte . . . Ob es Malewski selbst beliebt, in den Garten zu kommen — dachte ich — unverschämt genug wär' er dazu . . . oder irgend einem Andern (die Einzäunung unsers Gartens war sehr niedrig und leicht zu übersteigen): Wehe Dem, der mir unter die Hände fällt! Ich möchte Niemanden rathen, mir dort zu begegnen! Die ganze Welt, und sie selbst, die Verrätherin (ich nannte sie wirklich Verrätherin) soll erfahren, daß ich mich zu rächen weiß!

Ich kehrte in mein Zimmer zurück, nahm aus meinem Schreibtische ein englisches Messer, welches ich erst kürzlich gekauft hatte, prüfte die scharfe Schneide und steckte es stirnrunzelnd in die Tasche, mit einer kalten, concentrirten Entschlossenheit, als ob dergleichen Dinge mir gar nicht neu und ungewohnt wären. Mein Herz war ganz von Bosheit erfüllt und verhärtet und ich hielt die Augenbrauen zusammengezogen und die Lippen zusammengepreßt bis in die Nacht hinein. Schweigend ging ich so ab und zu, rieb das Messer in meiner Tasche herum bis es ganz heiß wurde, und bereitete mich von vornherein auf etwas Entsetzliches vor. Diese neuen ungewohnten Empfindungen nahmen mich dermaßen in Anspruch und gefielen mir so gut, daß ich darüber selbst an Sinaïde kaum dachte. Mir kam immer Aléko, der junge Zigeuner (aus Puschkin's Gedichte) in den Sinn: „Wohin, du schöner Jüngling, sprich? — Bleib liegen da und stirb!" und dann: „Du bist ja ganz mit Blut bespritzt!.. O, was hast du gethan!.. Nichts!" — Mit welchem grausamen Lächeln wiederholte ich dies: Nichts! Mein Vater war nicht zu Hause; aber meine Mutter, die sich seit einiger Zeit in einem Zustande fast fortwährender dumpfer Erregung befand, bemerkte mein tragisches Aussehen und fragte beim Abendessen: „Was geht in Dir vor? Du siehst ja aus, wie eine Maus in der Grütze." Ich antwortete ihr nur durch ein herablassendes Lächeln und dachte: wenn sie wüßte! — Die Uhr schlug eilf; ich ging auf mein Zimmer, kleidete mich aber nicht aus; ich erwartete die Mitternacht: und endlich schlug die verhängnißvolle Stunde. Es ist Zeit! murmelte ich zwischen den Zähnen, knöpfte mich bis an den Hals zu, schlug sogar die Aermel zurück und begab mich in den Garten.

Ich hatte mir schon vorher einen passenden Ort ausersehen, um Wache zu halten. Am Ende des Gartens, da wo der Zaun, welcher unser Gebiet von dem Sassékin'schen schied, sich an die Hauptmauer lehnte, stand eine einsame Fichte, unter deren weit ausgestreckten und tief herabhängenden dichten Zweigen ich mich bequem verbergen und, soweit es das nächtliche Dunkel erlaubte, gut sehen konnte, was ringsum vorging. Daneben schlängelte sich ein schmaler Fußpfad hin, der mir immer geheimnißvoll erschienen war. Er berührte die lebendige Gartenhecke, welche hier Spuren zeigte, als ob Jemand sie überstiegen habe, und führte in eine runde, dichte Akazienlaube. Ich schlich zu der einsamen Fichte, lehnte mich an den Stamm und begann auszuspähen.

Diese Nacht war eben so still, wie die vorhergegangene; aber am Himmel hingen weniger Wolken, und die Umrisse der Gebüsche und selbst der großen Blumen waren deutlicher zu sehen. Die ersten Augenblicke des Wartens schienen mir erdrückend, fast grausig. Ich war zu Allem entschlossen und dachte nur darüber nach, wie ich vorgehen sollte: ob es besser wäre, mit donnernder Stimme zu rufen: „Wohin gehst Du? Halt! bekenne — oder stirb!“ oder gleich einfach zuzustoßen . . . Jeder Laut, jedes Rascheln und Säuseln erschien mir bedeutungsvoll, ungewöhnlich . . . Ich hielt mich bereit . . . ich beugte mich vorwärts . . . Aber eine halbe Stunde, eine ganze Stunde verging so; mein Blut wurde ruhiger, mein Kopf kälter. Die Einsicht dämmerte in mir auf, daß ich meine Anstalten vergebens getroffen, daß ich gar eine komische Rolle spielte und Malewski sich über mich lustig machen könnte. Ich verließ meinen Posten und durchschritt den ganzen Garten. Wie absichtlich war nirgends das geringste Geräusch zu hören; Alles ruhte; selbst unser Hund schlief, in einen Knäuel zusammengekrümmt, bei der Pforte. Ich kletterte auf die Ruinen der Orangerie, sah vor mir das weite Feld, gedachte meiner Begegnung mit Sinaïde hier und verlor mich in Gedanken . . .

Plötzlich schauerte ich zusammen . . . Ich vernahm das Knarren einer sich öffnenden Thüre und dann das leichte Krachen eines brechenden Zweiges. In zwei Sprüngen war ich wieder unten — und blieb wie erstarrt stehen. Schnelle, leichte, aber vorsichtige Schritte waren deutlich im Garten vernehmbar. Sie kamen mir immer näher. „Da ist er . . . da ist er endlich!" durchdrang's mir das Herz. Krampfhaft zog ich mein Messer aus der Tasche, öffnete es krampfhaft — vor meinen Augen flimmerte es, ich weiß nicht, von welchen rothen Funken; die Haare sträubten sich mir auf dem Kopfe vor Furcht und Wuth . . . Die Schritte kamen gerade auf mich zu — ich bückte mich und ging ihnen langsam entgegen . . . ein Mann zeigte sich . . . Großer Gott! Es war mein Vater!

Ich erkannte ihn auf der Stelle, obgleich er ganz in einen dunklen Mantel eingehüllt war und den Hut in's Gesicht gedrückt hatte. Auf den Zehen gehend, kam er näher. Er bemerkte mich nicht, obgleich nichts mich verbarg; aber ich hatte mich so zusammengedrückt, daß ich fast dem Boden gleich kam. Der eifersüchtige, zum Morden bereite Othello war plötzlich in einen Schulknaben umgewandelt . . . Ein solcher Schrecken überfiel mich bei der unerwarteten Erscheinung meines Vaters, daß ich zuerst gar nicht einmal bemerkte, woher er kam und wohin er verschwand. Erst als Alles ringsum schon wieder ruhig war, erhob ich mich und dachte: „Was hat mein Vater Nachts hier im Garten zu thun?" Ich hatte vor Schrecken mein Messer in's Gras fallen lassen und es fiel mir nicht einmal ein, es zu suchen, so schämt' ich mich. Ich war im Nu völlig nüchtern geworden. Jedoch näherte ich mich, nach Hause zurückkehrend, meiner Bank unter dem Fliederbusche und spähete nach dem Fenster von Sinaïdens Schlafzimmer. Die kleinen, ein wenig ausgebogenen Scheiben schimmerten in trüber Bläue bei dem matten Licht des nächtlichen Himmels. Plötzlich veränderte sich ihre Farbe . . . Dahinter . . . das sah ich, sah es deutlich — wurde vorsichtig ein weißer Store heruntergelassen; er senkte sich, bis das Fenster bis unten verhüllt war — und blieb dann unbeweglich.

„Was bedeutet das?" fragte ich mich laut, fast unwillkürlich, als ich in mein Zimmer zurückgekehrt war. Ist das ein Traum? ein Zufall? oder . . . Die Vermuthungen, welche mir jählings durch den Kopf schossen, waren so neu und seltsam, daß ich mich ihnen selbst nicht zu überlassen wagte.

XVIII.

Der Kopf that mir weh, als ich am Morgen mein Bett verließ. Die gestrige Aufregung war verschwunden. Sie hatte sich in eine peinliche Ungewißheit verwandelt und dazu in eine mir vordem unbekannte Traurigkeit, gleich als ob etwas in mir abstürbe.

„Was haben Sie nur, daß Sie aussehen wie ein Kaninchen, dem das halbe Gehirn ausgenommen ist?“ fragte mich Luschin, der mir begegnete.

Während des Frühstücks beobachtete ich heimlich bald meinen Vater, bald meine Mutter. Er war ruhig wie gewöhnlich; sie, wie gewöhnlich, gereizt. Ich wartete, ob mein Vater nicht ein freundliches Wort mit mir reden werde, wie er sonst wohl hin und wieder that, — allein er würdigte mich selbst nicht seiner alltäglichen kühlen Liebkosung. „Wenn ich Sinaïden Alles erzählte?“ dachte ich — schaden kann es nicht; es ist doch Alles vorbei zwischen uns.“

Ich ging zu ihr, aber nicht allein erzählte ich ihr Nichts; es gelang mir nicht einmal, mich mit ihr zu unterhalten, wie ich es wünschte. Der Sohn der Fürstin, ein Kadet von etwa zwölf Jahren, war von

Petersburg während der Ferien zum Besuch nach Haus gekommen. Sinaïde führte mir gleich ihren Bruder zu.

„Mein lieber Wolodja“ [1]) — sagte sie (es war das Erstemal, daß sie mich so nannte) — „lassen Sie sich Ihren jungen Kameraden freundlich empfohlen sein. Er heißt auch Wolodja; bitte, haben Sie ihn ein bischen lieb! er ist noch ein wenig unbändig, hat aber ein gutes Herz. Zeigen Sie ihm Neskuschnoi; gehen Sie mit ihm spazieren; nehmen Sie ihn unter Ihren Schutz. Nicht wahr, Sie thun mir den Gefallen? Sie sind ja auch so gut!“

Sie legte mir zutraulich die Hände auf die Schultern — und ich wußte wieder nicht wie mir geschah. Die Gegenwart dieses Knaben machte mich selbst wieder zu einem Knaben. Ich sah den Kadetten schweigend an, der seinerseits stumm den Blick auf mich richtete. Sinaïde brach in lautes Lachen aus und stieß uns beide aneinander:

„Umarmt Euch doch, Kinder!“

Wir umarmten uns.

---

1) Diminutivum von Woldemar.

„Soll ich Sie in den Garten führen?“ fragte ich den Kadetten.

„Ich gehe gern mit,“ antwortete er mit rauher Stimme, mit einer ächten Kadettenstimme.

Sinaïde fing wieder zu lachen an. Es entging mir nicht, daß ihre Wangen nie von einer so bezaubernden Röthe angehaucht waren. Ich ging mit dem Kadetten in den Garten. In unserm Garten befand sich eine alte Schaukel. Ich setzte meinen Wolodja auf das schmale Brett und fing an, ihn zu schaukeln. Er saß unbeweglich in seiner neuen Uniform von dickem Tuch mit breiten Goldborten, und hielt sich fest an den Stricken.

„Aber knöpfen Sie doch Ihren Kragen los“ — sagte ich zu ihm.

„O das macht nichts, wir sind das so gewohnt“ — antwortete er, und fing an zu husten. Er sah seiner Schwester ähnlich, besonders seine Augen erinnerten an sie. Es freute mich, ihm gefällig sein zu können, während dieselbe Traurigkeit wie vorhin mir das Herz zernagte. Jetzt bin ich wirklich wieder ein Kind, dachte ich — und gestern . . . Ich erinnerte mich, wo ich in der vergangenen Nacht mein Messer verloren hatte, und fand es glücklich wieder. Der Kadet bat es sich aus, riß einen dicken Schaft Liebstöckel ab, schnitt daraus eine Pfeife zurecht und fing an, darauf zu blasen. Othello blies auch auf der Pfeife.

Aber wie dieser selbe Othello dafür am Abend auch weinte, und Sinaïdens Hände mit Thränen netzte, als diese ihn in einem Winkel des Gartens fand und fragte, warum er so traurig sei. Die Thränen entströmten mir so gewaltsam, daß sie erschrak.

„Was haben Sie? was haben Sie, Wolodja?" — wiederholte sie, und sehend, daß ich vor Weinen nicht antwortete, wollte sie meine feuchte Wange küssen. Aber ich wandte mich von ihr ab und stammelte durch mein Schluchzen:

„Ich weiß Alles; warum treiben Sie Ihr Spiel mit mir?... Wozu brauchen Sie meine Liebe?" —

„Ich bin schuldig vor Ihnen, Wolodja," sagte Sinaïde . . . „Ach, ich bin sehr schuldig," fügte sie, die Hände faltend, hinzu. „Wie viel Schlechtes, Dunkles, Sündiges ist in mir! . . . Aber jetzt treibe ich nicht mein Spiel mit Ihnen, ich liebe Sie — Sie ahnen selbst nicht warum . . . Allein, was wissen Sie denn?"

Was konnt' ich ihr sagen? Sie stand vor mir, und sah mich an — und ich gehörte ihr ganz, vom Scheitel bis zur Zehe, sobald sie nur den Blick auf mich richtete . . . Nach einer Viertelstunde lief ich schon mit dem Kadetten und Sinaïden um die Wette; ich weinte nicht mehr, ich lächelte, obgleich selbst mein Lächeln den geschwollenen Augenlidern Thränen entpreßte. Ich trug um den Hals ein Band Sinaïdens als Kravatte und wenn es mir im Laufen einmal gelang, sie um die Taille zu fassen, so schrie ich förmlich vor Freude. Sie konnte mit mir machen, was sie wollte.

XIX.

Es würde mich in große Verlegenheit bringen, wenn ich Alles einzeln erzählen müßte, was im Verlaufe der Woche nach meiner unglücklichen nächtlichen Expedition mit mir vorging. Es war das eine wundersame, fieberhafte Zeit, eine Art Chaos, in welcher die widerstrebendsten Gefühle, Gedanken, Argwöhnungen, Hoffnungen, Freuden und Leiden mich durchwirbelten; ich fürchtete mich, meinen Blick so recht in's Innere zu kehren, wenn ein sechszehnjähriges Kind dessen überhaupt fähig ist; ich fürchtete mich, mir selbst Rechenschaft abzulegen, von was es auch sein mochte. Ich lebte in den Tag hinein, und verlebte den Tag bis zum Abend so rasch als möglich; dafür schlief ich Nachts... Der kindliche Leichtsinn half mir über Alles hinaus. Ich wollte nicht wissen, ob ich geliebt würde, und wollte mir selbst nicht eingestehen, daß ich es nicht werde; meinem Vater wich ich aus, aber Sinaïde konnte ich nicht ausweichen. Es brannte in mir wie Feuer in ihrer Gegenwart. Allein wozu brauchte ich zu wissen, was für ein Feuer das war, an welchem ich verbrannte und hinschmolz — erschien es mir doch wonnig, so hinzuschmelzen und zu verbrennen. Ich überließ mich ganz allen meinen Eindrücken, und täuschte mich selbst, indem ich allen Erinnerungen den Rücken kehrte und die Augen vor der Zukunft verschloß, die ich voraussah ... Diese Taumelqual wäre wahrscheinlich nicht von langer Dauer gewesen; ein Donnerschlag machte ihr jählings ein Ende und warf mich in eine neue Bahn.

Eines Tages von einem längeren Spaziergange heimgekehrt, erfuhr ich zu meinem Erstaunen, daß ich allein speisen würde; mein Vater war ausgefahren, meine Mutter war unwohl, hatte sich in ihr Schlafzimmer eingeschlossen und wollte nicht essen. Aus den Gesichtern der Lakaien errieth ich, daß etwas Außergewöhnliches vorgefallen sei . . . Ich wagte sie nicht auszufragen, aber ich hatte einen guten Freund, den jungen Büffetdiener Philipp, der ein großer Liebhaber von Gedichten und ein Artist auf der Guitarre war; an diesen wandt' ich mich. Von ihm erfuhr ich, daß zwischen meinem Vater und meiner Mutter ein entsetzlicher Auftritt stattgefunden. Im Mägdezimmer hatte man Alles, bis auf's letzte Wort, hören können; Vieles wurde freilich französisch gesprochen, aber Mascha, die Kammerjungfer, welche fünf Jahre in Paris das Nähen gelernt hatte, verstand französisch. Meine Mutter hatte meinem Vater vorgeworfen, daß er ihr untreu sei und ein Verhältniß mit dem benachbarten Fräulein angeknüpft habe. Erst habe mein Vater sich zu rechtfertigen gesucht, dann aber sei er aufgefahren und habe ihr seinerseits ein hartes Wort gesagt „über ihre vorgerückten

Jahre," worüber sie in Thränen ausgebrochen. Meine Mutter hatte auch von einem Wechsel gesprochen, der, wie sie behauptete, der alten Fürstin eingehändigt worden sei, von welcher sie, wie auch von ihrer Tochter, viel Schlimmes sagte, worauf mein Vater ihr gedroht habe. — Das ganze Unglück — fuhr Philipp fort — ist aus einem anonymen Briefe entstanden; aber wer ihn geschrieben, weiß man nicht. Ohne diese Veranlassung wäre vielleicht gar nichts von der Geschichte an den Tag gekommen.

„Also ist doch wirklich etwas vorgefallen?" brachte ich mit Mühe heraus, während mir Hände und Füße erstarrten und meine Brust bis in's Innerste erzitterte.

Philipp blinzte bedeutsam mit den Augen.

„Natürlich. Solche Dinge bleiben nicht verborgen. Allerdings ging Ihr Vater mit der größten Vorsicht zu Werke — aber er hat z. B. einen Wagen nöthig, oder was weiß ich ... und dazu braucht man Leute."

Ich schickte Philipp fort und warf mich auf mein Bett. Ich schluchzte nicht, überließ mich nicht der Verzweiflung; ich dachte nicht darüber nach, wann und wie Alles sich zugetragen; ich verwunderte mich nicht, es nicht schon früher, nicht schon lange errathen zu haben — ich grollte selbst meinem Vater nicht... Was ich eben erfahren hatte, ging über meine Kräfte hinaus: diese plötzliche Entdeckung hatte mich vernichtet ... Alles war vorbei. Alle meine Blumen waren auf Einmal ausgerissen und lagen um mich her, zerstreut und zertreten.

XX.

Am folgenden Tage erklärte meine Mutter, daß sie wieder in die Stadt übersiedeln wolle. Mein Vater war am Morgen in ihr Schlafzimmer gegangen und lange bei ihr geblieben. Niemand hörte, was sie mit einander gesprochen, aber meine Mutter weinte nicht mehr; sie hatte sich beruhigt und verlangte zu essen; allein sie blieb in ihrem Zimmer und änderte ihren Entschluß nicht. Ich erinnere mich, daß ich den ganzen Tag umherstreifte, aber nicht in den Garten ging und auch nicht Einen Blick auf die Wohnung unserer Nachbarinnen warf. Abends war ich Zeuge eines seltsamen Auftrittes: mein Vater führte den Grafen Malewski am Arm durch den

Saal in das Vorzimmer, wo er ihm in Gegenwart der Lakaien kühl sagte:

„Vor einigen Tagen hat man Eurer Erlaucht in einem andern Hause die Thüre gewiesen; ich will mich heute in keine Erörterungen mit Ihnen einlassen, gebe mir aber die Ehre, Ihnen zu bemerken, daß ich Sie, wenn es Ihnen belieben sollte, mich noch einmal zu besuchen, zum Fenster hinauswerfen werde. Ihre Handschrift gefällt mir nicht."

Der Graf verneigte sich, biß die Zähne zusammen, und verschwand.

Nun begannen die Vorbereitungen unserer Uebersiedelung in die Stadt, nach der Arbat, wo wir ein eigenes Haus besaßen Es lag meinem Vater sicher selbst nicht mehr viel daran, in der Landwohnung zu bleiben; aber augenscheinlich hatte er es bei meiner Mutter durchgesetzt, das Vorgefallene auf sich beruhen zu lassen, um Aergerniß zu vermeiden. Alles geschah ruhig, ohne Uebereilung; meine Mutter ließ sogar die Fürstin grüßen und ihr Bedauern ausdrücken, nicht persönlich Abschied nehmen zu können: sie sei zu leidend. Ich ging wie verrückt umher und wünschte nichts weiter, als daß Alles möglichst schnell vorüber gehe. Nur Ein Gedanke wollte mir nicht aus dem Kopfe: wie ein junges Fräulein, und noch dazu eine Fürstin, sich hatte in ein so abenteuerliches Verhältniß einlassen können, da sie doch wußte, daß mein Vater nicht frei war, und da es doch nur von ihr abhing zu heirathen, z. B. Belowserow? Was konnte ich hoffen? Wie konnte sie ihren Ruf, ihre ganze Zukunft, ihr Alles so auf's Spiel setzen? Ja, dachte ich, das ist — Liebe, das ist — Leidenschaft, das ist — Hingebung — und ich gedachte der Worte Luschin's: „Es giebt Menschen, die eine Seligkeit darin finden, sich für Andere zu opfern!"

Ich weiß nicht, wie es kam, daß ich doch das Auge nach dem Nachbarhause wandte und an einem Fenster etwas Weißes erblickte. „Sollte das nicht Sinaïde sein?" dachte ich . . . richtig, es war ihr Gesicht. Ich hielt es nicht länger aus. Ich konnt' es nicht über's Herz bringen, zu scheiden, ohne ihr ein letztes Lebewohl zu sagen. Ich ersah einen günstigen Augenblick und ging in den Flügel.

Im Salon traf ich die alte Fürstin, die mich in gewohnter nachlässig unzarter Weise empfing.

„Wie kommt es, mein Lieber, daß Ihre Familie sich schon so früh in Bewegung setzt?" sagte sie, ihre beiden Nasenlöcher mit Tabak verstopfend. Ich sah sie an und es wurde mir leichter um's Herz. Das Wort „Wechsel", das ich von Philipp gehört, hatte mich beunruhigt. Sie ahnte Nichts; wenigstens schien es mir damals so.

Sinaïde kam aus dem benachbarten Zimmer, in schwarzem Kleide, bleich, mit aufgelösten Haaren; sie faßte schweigend meine Hand und zog mich mit sich fort.

„Ich hörte Ihre Stimme," sagte sie, „und kam gleich zu Ihnen. Und Sie konnten uns so leicht untreu werden, Sie böses Kind?"

„Ich bin gekommen, um Abschied zu nehmen, Fürstin, antwortete ich, wahrscheinlich auf immer. Sie haben vielleicht schon gehört, daß wir wieder in die Stadt ziehen."

„Ja, das hab' ich gehört. Ich danke Ihnen, daß Sie gekommen sind. Ich dachte schon, ich würde Sie nicht mehr sehen. Seien Sie mir nicht böse. Ich habe Sie zuweilen gequält, allein ich bin nicht so schlimm wie Sie glauben."

Sie wandte sich ab und lehnte sich an's Fenster.

„Wahrlich, ich bin nicht so schlimm. Ich weiß, daß Sie eine schlechte Meinung von mir haben.

„Ich?"

„Ja, Sie, Sie."

„Ich?" wiederholte ich mit Bitterkeit, und mein Herz erbebte wie vordem unter dem Einflusse der unwiderstehlichen Gewalt, womit es mich zu ihr hinzog. — „Ich? Glauben Sie mir, Sinaïde Alexandrowna, was Sie auch thun und wie Sie mich quälen mögen: ich werde Sie lieben und vergöttern bis an das Ende meiner Tage!"

Sie wandte sich stürmisch nach mir um mit ausgebreiteten Armen, ergriff mich beim Kopfe und küßte mich heftig und glühend. Gott weiß, wem dieser lange Abschiedskuß galt, an dessen Süße ich mich gierig labte. Ich wußte, daß diese Wonnen sich nicht wiederholen würden.

„Adieu! Adieu!" rief ich.

Sie wandte sich rasch ab und ging. Auch ich entfernte mich. Ich bin nicht im Stande, das Gefühl zu schildern, mit welchem ich mich entfernte. Ich möchte nicht, daß es sich wiederholte, aber ich würde mich für unglücklich halten, wenn ich es nicht Einmal im Leben erfahren hätte.

Wir siedelten in die Stadt über. Es währte lange, ehe ich mich von dem Vergangenen losmachen und wieder an die Arbeit gehen konnte. Meine Wunde vernarbte langsam, aber gegen meinen Vater war kein schlimmes Gefühl in mir zurückgeblieben. Im Gegentheil, er war gleichsam noch gewachsen in meinen Augen . . . Mögen die Psychologen diesen Widerspruch lösen wie sie können.

Als ich eines Tages über den Boulevard ging, stieß ich zu meiner unbeschreiblichen Freude auf Luschin. Ich liebte ihn wegen seines geraden und offenen Charakters, und außerdem war er mir theuer durch die Erinnerungen, welche er in mir weckte. Ich eilte ihm entgegen.

„Aha!“ rief er, die Brauen runzelnd, „Sie sind das, junger Mann! Zeigen Sie sich doch ein wenig. Sie sehen immer noch gelb aus, aber die Augen sind klarer geworden. Sie sehen jetzt aus wie ein Mann, und nicht wie ein Salonhündchen. Das ist recht. Nun, geht's denn auch mit der Arbeit wieder vorwärts?“

Ich seufzte. Lügen wollt' ich nicht, und ich schämte mich, die Wahrheit zu sagen.

„Nun, beunruhigen Sie sich nicht," fuhr Luschin fort. „Die Hauptsache ist, normal zu leben und sich nicht hinreißen zu lassen. Was kommt am Ende dabei heraus? Wohin die Woge auch treibe — es ist immer schlecht; ein Mann muß sich fest auf den Beinen halten und wenn er auch auf einem Steine stünde. Sehen Sie nur, wie ich huste . . . und Belowserow . . . haben Sie schon gehört?"

„Was denn? ich weiß nichts."

„Er ist spurlos verschwunden; es heißt, er sei nach dem Kaukasus gegangen. Eine Lektion für Sie, junger Mann. Und all' das kommt daher, daß man nicht weiß, sich zur rechten Zeit zu trennen, die Netze zu zerreißen. Sie, scheint es, sind noch glücklich entschlüpft. Geben Sie Acht, lassen Sie sich nicht wieder fangen. Adieu!"

„Ich bin gewitzigt, dachte ich . . . ich werde sie nicht wiedersehen." Allein es war mir beschieden, Sinaïden noch einmal zu begegnen.

XXI.

Mein Vater pflegte täglich auszureiten. Er hatte einen prächtigen Fuchs englischer Raçe, mit langem, feinem Halse und langen Beinen; ein unermüdliches Thier, voll Feuer und Tücke, das Niemand, außer meinem Vater, zu bändigen vermochte. Er hieß „Electric.“

Eines Tages kam er zu mir, so gut aufgelegt, wie ich ihn lange nicht gesehen hatte. Er war eben im Begriff, auszureiten und hatte schon seine Sporen an. Ich bat ihn, mich mitzunehmen.

„Laß uns lieber „polnischen Bock“ spielen,“ sagte mein Vater, denn auf Deinem Klepper wirst Du nicht im Stande sein, mit mir Schritt zu halten.“

„O doch, ich werde ihm auch tüchtig die Sporen geben.“

„Nun gut, wenn Du's versuchen willst.“

Wir ritten fort. Ich hatte ein kleines, zottiges, schwarzes Pferd, fest auf den Beinen und nicht ohne Feuer. Es mußte, als Electric in Trab kam, in vollem Galopp ausgreifen, blieb aber nicht zurück.

Ich habe nie einen Reiter gesehen, wie meinen

Vater. Er saß so stattlich und ungezwungen leicht im Sattel, daß selbst das Pferd unter ihm seine Freude daran zu haben schien und stolz darauf war. Wir ritten alle Boulevards entlang, kreuzten das „Jungfernfeld," setzten über verschiedene Hecken (ich fürchtete mich erst vor dem Springen, aber mein Vater verachtete die Feiglinge und — ich faßte mir ein Herz), kamen zweimal über den Mosquastrom — und ich glaubte schon, daß wir nun nach Hause zurückkehren würden, um so mehr, als selbst mein Vater die Müdigkeit meines Pferdes bemerkte, aber plötzlich warf er seinen Fuchs herum nach der Krimm'schen Furt zu und trabte das Ufer entlang. Ich folgte ihm. Bei einem mächtigen Haufen alter behauener Balken angekommen, sprang er behend aus dem Sattel, befahl mir ebenfalls abzusteigen, reichte mir die Zügel seines Electric mit der Weisung, bei den Balken auf ihn zu warten, wonach er in eine kleine Gasse einbog und verschwand.

Ich ging, die Pferde hinter mir führend, am Ufer auf und nieder, ganz aufgebracht gegen Electric, der immer am Zügel riß, sich schüttelte, schnob und wieherte. Und so oft ich stehen blieb, scharrte er bald mit einem Hufe, bald mit dem andern die Erde auf, biß wiehernd meinen armen Klepper in den Hals, kurz, benahm sich wie ein rechter verwöhnter pur sang.

Mein Vater kam nicht zurück. Vom Strome stieg eine unangenehme Feuchtigkeit auf; ein feiner Regen prickelte herab und besprengte die langen, grauen Balken mit kleinen dunklen Flecken, während ich mich über diese dummen Balken, welche ich gelangweilt umschreiten mußte, entsetzlich ärgerte. Es wurde mir ganz kümmerlich zu Muthe bei dem langen Warten, aber mein Vater war immer noch nicht zu sehen.

Ein alter Budotschnik [1]), finnischen Ursprungs, ganz so grau wie die Balken, mit einem topfähnlichen, abgenutzten, fürchterlichen Tschako auf dem Kopfe und einer Hellebarde in der Hand (ich begreife noch nicht, was ein Budotschnik an den öden Ufern der Mosqua zu suchen hatte) näherte sich mir und sagte, mir sein gelbes, faltiges Gesicht zukehrend:

„Was thun Sie hier mit den Pferden, junger Herr? Geben Sie sie mir zum Halten."

---

1) Polizeisoldat zum Ueberwachen der Straßen.

Ich antwortete ihm nicht; er bat mich um Tabak. Um ihn loszuwerden (da mich ohnehin die Ungeduld quälte) folgte ich einige Schritte der Richtung, die mein Vater genommen hatte. Am Ende der Gasse angekommen, bog ich um die Ecke und blieb dort stehen. In der nächsten Straße, etwa vierzig Schritte von mir entfernt, stand vor dem offenen Fenster eines hölzernen Häuschens mein Vater, den Rücken gegen mich gekehrt. Er lehnte die Brust auf die Fensterbrüstung, und in dem Häuschen saß, halb durch den Vorhang verhüllt, eine schwarzgekleidete Dame, die mit meinem Vater redete: es war Sinaïde.

Ich war wie vor den Kopf geschlagen. Das, gesteh' ich, hatt' ich nicht erwartet. Meine erste Bewegung war zu entfliehen. „Mein Vater könnte sich umkehren, dacht' ich, und da wär' ich verloren . . ." allein ein seltsames Gefühl, ein Gefühl stärker als die Neugier, stärker selbst als die Eifersucht, stärker als die Furcht — hielt mich wie festgebannt. Ich strengte meine Augen an, zu sehen, und meine Ohren, zu hören. Es schien, als ob mein Vater auf etwas bestände und sie sich weigerte, darauf einzugehen. Noch sehe ich deutlich ihr Gesicht vor mir — ihr trauriges, ernstes, schönes Gesicht, in welchem ein unbeschreiblicher Ausdruck von Kummer, Liebe, Hingebung und einer gewissen Verzweiflung (ich finde keine andere Bezeichnung dafür) lag. Sie sprach nur in einsilbigen Worten, ohne die Augen aufzuschlagen und lächelnd — voll Demuth und Eigensinn. Blos an diesem Lächeln erkannt' ich meine Sinaïde wieder. Mein Vater zuckte die Achseln und rückte den Hut auf dem Kopfe zurecht — was bei ihm immer ein Zeichen von Ungeduld war . . . dann hört' ich die Worte: Vous devez vous séparer de cette . . . Sinaïde richtete sich in die Höhe und streckte die Hand aus . . . In diesem Augenblick sah ich etwas ganz Unerhörtes: mein Vater erhob plötzlich seine Reitgerte, womit er den Staub vom Saume seines Rockes abgeklopft hatte, und versetzte ihr einen scharfen Schlag auf den bis zum Ellbogen entblößten Arm. Ich hätte fast laut aufgeschrieen; nur mit Mühe beherrscht' ich mich. Sinaïde zitterte, sah schweigend meinen Vater an, hob langsam ihren Arm an die Lippen und küßte die blutrothe Schramme. Mein Vater schleuderte seine Reitgerte fort und eilte über die Freitreppe in's Haus . . . Sinaïde wandte sich um, bog den Kopf zurück, streckte die Arme aus und verließ das Fenster.

Fast bewußtlos vor Schreck, mit einem von Grausen und Zweifel gemischten Gefühl eilt' ich hinweg und hätte beinahe den unbändigen Electric entwischen lassen, ehe ich das Stromufer wieder erreichte. Ich hatte alle klare Vorstellung verloren. Ich wußte, daß mein Vater, gewöhnlich so kalt und voll Selbstbeherrschung, zuweilen Anfälle von Wuth hatte, — und doch blieb mir, was ich eben gesehen hatte, völlig unbegreiflich . . . Aber ich fühlte zu gleicher Zeit, daß dieser Blick, diese Bewegung, dieses Lächeln Sinaïdens mir Zeitlebens unvergeßlich sein, daß dieses Bild, dieses urplötzlich vor mir aufgetauchte neue Bild unauslöschlich meinem Gedächtnisse eingeprägt bleiben werde. Ich schaute gedankenlos auf den Strom und bemerkte nicht, daß meine Augen feucht von Thränen waren. Er schlägt sie, dachte ich . . . schlägt sie . . . schlägt sie . . .

„Nun, was ist mit Dir? Gieb mir mein Pferd!" ertönte hinter mir die Stimme meines Vaters.

Maschinenmäßig übergab ich ihm die Zügel. Er schwang sich auf den Electric. Das vor Kälte zitternde

Thier bäumte sich und sprang wohl anderthalb Klafter weit vorwärts; aber mein Vater wußte es bald zu bändigen: er drückte ihm die Sporen in die Weichen und versetzte ihm einen Faustschlag auf den Hals.

„Ach, die Reitgerte fehlt mir!" sagte er.

Das erinnerte mich an das Schwirren der Gerte, an den Schlag, den er damit geführt, und mir schauderte.

„Was hast Du denn damit gemacht?" fragte ich meinen Vater nach einer Weile.

Mein Vater antwortete mir nicht und sprengte vorwärts. Ich holte ihn ein. Ich wollte durchaus sein Gesicht sehen.

„Du hast Dich wohl während meiner Abwesenheit gelangweilt?" murmelte er durch die Zähne.

„Ein wenig. Wo hast Du denn Deine Reitgerte fallen lassen?" fragte ich wieder.

Mein Vater blickte mich hastig an.

„Ich habe sie nicht fallen lassen, ich habe sie weggeworfen."

Er verfiel in Nachdenken und senkte den Kopf... und dabei bemerkte ich zum ersten und vielleicht zum letzten Male, welch zärtlichen und gefühlvollen Ausdrucks seine sonst so strengen Züge fähig waren.

Er setzte sein Pferd wieder in Galopp, und ich konnte ihn nicht mehr einholen; er kam eine Viertelstunde vor mir zu Hause an.

„Das ist Liebe!" sagte ich mir nochmals, als ich Nachts vor meinem Schreibtische saß, auf welchem schon wieder Hefte und Bücher zu erscheinen anfingen, „das ist Leidenschaft! . . ." Wie war es nur möglich, sich nicht zu empören, ruhig den Schlag zu ertragen, von welcher Hand er auch kommen mochte... selbst von der theuersten Hand! Doch, es scheint, daß es möglich ist, wenn man liebt . . . Und ich . . . ich, der mir einbildete . . .

Der letzte Monat hatte mich merklich reifer gemacht — und meine Liebe mit allen ihren Aufregungen und Leiden erschien mir selbst wahrhaft nichtig und kindisch, verglichen mit jenem geheimnißvollen Etwas, von welchem ich kaum eine Ahnung hatte, und das mich erschreckte wie ein fremdartiges, schönes aber drohendes Gesicht, welches man vergeblich in der Dunkelheit scharf in's Auge zu fassen sucht . . .

In derselben Nacht hatte ich einen seltsamen und

fürchterlichen Traum. Mir träumte, ich träte in ein niederes, dunkles Zimmer. Mein Vater stand da, die Reitgerte in der Hand, und stampfte mit den Füßen. In einer Ecke kauerte Sinaïde, und sie hatte einen rothen Strich nicht auf dem Arm, sondern auf der Stirn ... Hinter Beiden zeigte sich Belowserow, ganz mit Blut bedeckt, die bleichen Lippen öffnend und meinem Vater drohend mit grauenvoller Geberde.

Zwei Monat später bezog ich die Universität, und nach einem halben Jahre starb mein Vater, vom Schlage gerührt, in Petersburg, wohin er eben erst mit meiner Mutter und mir übergesiedelt war. Wenige Tage vor seinem Tode erhielt er einen Brief aus Moskau, der ihn in die größte Aufregung versetzte... Er ging zu meiner Mutter, um sie flehentlich um etwas zu bitten, und man sagte sogar, daß er dabei geweint habe, Er, mein Vater! Am Morgen desselben Tages, als ihn der Schlag traf, hatte er einen Brief an mich angefangen, in französischer Sprache: „Mein Sohn," schrieb er, „fürchte Frauenliebe, fürchte dies Glück, dies Gift." (Mon fils, crains l'amour d'une femme, crains ce bonheur et ce poison). Nach

20*

seinem Tode schickte meine Mutter eine nicht unbedeutende Summe Geldes nach Moskau.

XXII.

Vier Jahre waren seitdem vergangen. Ich hatte eben die Universität verlassen und wußte noch nicht recht, was ich nur anfangen, an welche Thüre ich anklopfen sollte. Einstweilen trieb ich mich ohne Beschäftigung umher.

Eines Abends begegnete ich im Theater Maidanow. Er hatte sich verheirathet und war in den Staatsdienst getreten: sonst fand ich ihn ganz unverändert. Er konnte noch ebenso wie früher über Nichts in Entzücken gerathen, und ebenso grundlos plötzlich den Kopf hängen lassen.

„Sie wissen," sagte er unter Anderm zu mir, „daß Frau von Dolski hier ist."

„Was für eine Frau von Dolski? Ich kenne keine Dame dieses Namens."

„Sollten Sie sich ihrer nicht mehr erinnern? der ehemaligen Fürstin Sassékin, in welche wir alle verliebt waren, ja, Sie auch. Besinnen Sie sich doch, in dem Landhause, wo Sie selbst wohnten, bei Neskuschnoi."

„So hat sie einen Herrn von Dolski geheirathet?"

„Ja."

„Und ist hier im Theater?"

„Nein; aber in Petersburg. Sie ist hier nur auf kurze Zeit hergekommen, um in's Ausland zu reisen."

„Was für ein Mann ist ihr Gemahl?" fragte ich.

„Ein prächtiger Kamerad, und reich. Wir haben in Moskau zusammen gedient. Sie begreifen — nach jener Geschichte ... Sie werden natürlich genau davon unterrichtet sein ... (Maidanow lächelte bedeutsam) war es ihr nicht leicht eine Partie zu finden; es blieb nämlich nicht ohne Folgen ... Aber einer Frau von soviel Geist ist Alles möglich. Gehen Sie zu ihr: sie wird sich sehr freuen Sie zu sehen. Sie hat sich noch verschönert."

Maidanow gab mir die Adresse Sinaïdens. Sie war im „Hôtel Demuth" abgestiegen.

Die alten Erinnerungen regten sich wieder in mir: ich nahm mir vor, gleich am folgenden Tage meine alte Flamme aufzusuchen. Aber ich weiß nicht, welche Geschäfte mich daran verhinderten: eine Woche verging, eine zweite, und als ich mich endlich auf den Weg machte nach dem Hôtel Demuth und nach Frau von Dolski fragte, — erfuhr ich, daß sie vor vier Tagen im Kindbette gestorben sei.

Mir war es, als ob mein Herz ein Schlag getroffen hätte. Der Gedanke, daß ich sie hätte wiedersehen können und nicht wiedergesehen hatte und nie wiedersehen werde — dieser bittere Gedanke durchdrang mich mit aller Macht eines überwältigenden Vorwurfs. Gestorben! wiederholte ich, den Schweizer stumpf anblickend; dann ging ich still wieder auf die Straße und schlenderte, ich weiß selbst nicht wohin. Alles Vergangene tauchte plötzlich auf und stand mir wieder lebhaft vor Augen. Und solch' ein Ende mußte es mit ihr nehmen, solchem Ziele mußte dieses junge, feurige, glänzende Leben in seiner ungestümen Hast zustreben! So dachte ich und rief mir ihre theuren Züge, ihre Augen, ihre Locken in's Gedächtniß zurück — die nun in einem engen Kasten lagen, in feuchter, unterirdischer Dunkelheit; dort, unfern von mir, der ich für den Augenblick noch am Leben war, und vielleicht nur wenige Schritte von meinem Vater entfernt... Dies Alles dacht' ich und strengte meine Einbildungskraft an, es mir zu vergegenwärtigen, und inzwischen klangen mir die Verse Puschkin's durch die Seele:

„Aus theilnahmlosem Mund klang mir das Todeswort,
Und theilnahmlos hab' ich's vernommen."

O Jugend! Jugend! Du machst Dir um Nichts Sorgen, Du beherrschest gleichsam alle Schätze der Welt; selbst der Gram zerstreut Dich, selbst der Kummer steht Dir gut zu Gesicht; Du bist selbstvertrauend und verwegen, Du sprichst: ich allein lebe — seht! und doch enteilen auch Deine Tage und verlieren sich spurlos und unberechnet, und Alles in Dir schmilzt hin wie Wachs in der Sonne, wie Schnee . . . Und vielleicht besteht das ganze Geheimniß Deines Zaubers nicht in der Möglichkeit Alles zu thun, sondern in der Möglichkeit zu denken, Du könntest Alles thun. Es besteht gerade darin, daß Du Kräfte vergeudest, welche Du doch nicht besser anzuwenden gewußt hättest, — darin, daß Jeder von uns sich in allem Ernste für einen Verschwender hält, in allem Ernste vermeint in Wahrheit sagen zu können: O, was würd' ich nicht Alles vollbracht haben, wenn ich meine Zeit nicht so nutzlos verloren hätte!

So auch ich . . . was hoffte, was erwartete ich nicht Alles, welche reiche Zukunft sah ich nicht vor mir, als ich die plötzlich wieder aufgetauchte flüchtige Erscheinung meiner ersten Liebe kaum mit einem Seufzer, mit einem Gefühle der Wehmuth begleitete?

Und was von Allem, das ich damals hoffte, ist in Erfüllung gegangen? Und doch: bleibt mir jetzt, wo der Abend schon anfängt seine Schatten über mein Leben zu breiten, etwas Frischeres, Theureres, als die Erinnerung an jenes schnell entschwundene, morgendliche Gewitter des Frühlings meines Herzens?

Aber ich thue Unrecht mich zu verleumden. Selbst damals, in jener leichtlebigen, sorglosen Jugendzeit blieb ich nicht taub für die wehmuthvolle Stimme, welche mich rief, für den feierlichen Ton, der aus dem Grabe zu mir herüberscholl. Ich erinnere mich, daß ich wenige Tage, nachdem mir die Kunde vom Tode Sinaïdens geworden, aus freiem Antrieb, einem unwiderstehlichen Drange folgend, dem Begräbniß einer armen alten Frau beiwohnte, welche einsam dasselbe Haus mit mir bewohnt hatte. In Lumpen gehüllt, auf harten Brettern liegend, einen Sack als Kopfkissen, hatte sie ein schmerzenvolles, schweres Ende gehabt. Ihr ganzes Leben war ein bitterer Kampf mit der täglichen Nothdurft gewesen; sie hatte keine Freude gekannt, nicht gekostet vom Honig des Glücks — es schien, sie hätte den erlösenden Tod freudig begrüßen müssen, der ihr Freiheit und Ruhe brachte. Und doch, so lange ihr hinfälliger Körper noch widerstand, so lange ihre Brust sich noch qualvoll hob unter der darauf liegenden eisigen Hand, so lange die letzten Kräfte nicht von ihr gewichen waren, hörte die Alte nicht auf sich zu bekreuzigen und zu murmeln: Herr, vergieb mir meine Sünden! — und erst mit dem letzten Funken des Bewußtseins erlosch in ihren Augen der Ausdruck des Bangens und Bebens vor dem Tode. Ich erinnere mich auch, daß mich dort, am Todesbette dieser armen alten Frau, Furcht für Sinaïde beschlich, und daß es mich trieb zu beten für sie, für meinen Vater — und für mich.

* *
*

Als die Geschichte zu Ende war, senkte Wladimir Petrowitsch den Kopf, wie in Erwartung, wer wohl zuerst das Wort nehmen werde. Aber weder Sergéi Nikolajewitsch noch der Hausherr brach das Schweigen. Wladimir selbst wandte das Auge nicht ab von seinem Hefte.

„Ich glaube zu bemerken, meine Herren,“ hub er endlich mit gezwungenem Lächeln an, „daß meine Beichte Ihnen nicht sonderlich gefallen hat.“

„Das will ich nicht sagen — entgegnete Sergéi Nikolajewitsch — aber . . .“

„Was? aber . . .“

„Ich meine, daß wir in einer wunderlichen Zeit leben und selbst wunderliche Menschen sind.“

„Wunderlich? worin?“

„Ja, wir sind wunderliche Menschen,“ wiederholte Sergéi Nikolajewitsch. — „Sie haben zu dem, was Sie Ihre Beichte nennen, Nichts hinzugedichtet? Oder . . .“

„Nichts.“

„Hm! — Das sieht man übrigens. Nun, mir will es scheinen, daß nur in Rußland . . .“

„Eine solche Geschichte möglich ist?“ unterbrach ihn Wladimir — „Aber ich bitte Sie . . .“

„Sie haben mich nicht ausreden lassen. Ich wollte

sagen, daß nur in Rußland eine solche Erzählung möglich ist."

Wladimir schwieg einen Augenblick.

„Was meinen Sie dazu?" fragte er, indem er sich an den Herrn des Hauses wandte.

„Ich bin ganz der Ansicht wie Sergéi Nikolajewitsch — antwortete er — aber erschrecken Sie nicht darüber. Wir wollen Ihnen damit nichts zur Last legen — im Gegentheil. Wir wollen nur sagen, daß die socialen Zustände, unter welchen wir Alle aufgewachsen sind, sich bei uns in einer ganz eigenthümlichen Weise gebildet haben, eine Entwicklung genommen haben, wie dergleichen niemals war und, wahrscheinlich, niemals wieder sein wird. — Ihre einfache und ungekünstelte Erzählung hat uns einen gelinden Schauder eingeflößt. — Nicht, daß sie uns als unsittlich verletzt hätte: sie enthüllt etwas Dunkleres als eine bloße Unsittlichkeit. Für Ihre Person sind Sie von jedem Vorwurf frei, da Sie nichts Unrechtes begangen haben. Aber durch jede Zeile Ihrer Erzählung offenbart sich eine — ich weiß nicht welche — allgemeine Schuld, die Schuld eines ganzen Volkes, welche ich fast ein Nationalverbrechen nennen möchte."

„O, welch großes Wort für eine kleine Sache!" warf Wladimir ein.

„Der Fall ist klein, aber die Sache durchaus nicht. Es ist, ich wiederhole es, und Sie fühlen es selbst, es ist etwas bei uns, was unwillkürlich an die Worte des Marcellus in Hamlet erinnert:

„Etwas ist faul im Staate Dänemark."

„Hoffen wir jedenfalls, daß unsere Kinder etwas Anderes aus ihrer Jugend zu erzählen haben werden, und daß sie es anders erzählen werden."

Druck von J. P. Himmer in Augsburg.

FSC
www.fsc.org
MIX
Papier aus ver-
antwortungsvollen
Quellen
Paper from
responsible sources
FSC® C141904

Druck:
Customized Business Services GmbH
im Auftrag der KNV-Gruppe
Ferdinand-Jühlke-Str. 7
99095 Erfurt